5·18민중항쟁 4X주년 기념 4부작. 1,2부

무명C의 노래(Ⅰ)

무명C의 노래(Ⅰ)

발 행 | 2024년 04월 24일
저 자 | 장주선
펴낸이 | 한건희
펴낸곳 | 주식회사 부크크
출판사등록 | 2014.07.15.(제2014-16호)
주 소 | 서울특별시 금천구 가산디지털1로 119 SK트윈타워 A동 305호
전 화 | 1670-8316
이메일 | info@bookk.co.kr

ISBN | 979-11-410-8253-6

www.bookk.co.kr

무명 C의 노래

- 보라, 이 돌이 우리에게 증인이 될 것이다.[1]

---

1) 여호수아기 24장 27절

차 례

무명C의 노래

- 5·18민중항쟁 4X주년 기념 4부작. 1

갇힌 젊음

- 5·18민중항쟁 4X주년 기념 4부작. 2

무명C의 노래

- 광주민중항쟁 4X주년 기념 4부작. 1

마침내 나는 부활했다!

이름이 없는 것은 세상에 없는 것이다.
마치 이 세상 어느 곳에나 있지만 관찰되기 전까지는
그 존재를 드러내지 않는,
더 이상 쪼갤 수 없는 양자(量子)처럼

나는,
40년 넘는 세월동안
낡은 건물 안에 갇혀 있었지만
사람들은 나를 버렸고, 잊었다.

그러던 어느 날
내게 강렬한 빛들이 쏟아졌다.
눈이 부신다.
나를 덮고 있던 것들이 벗겨지고
내 모습이 적나라하게 드러났다.
감마선에 이어
열화상 촬영 등을 거쳐
나는 3D 영상의 외관을 갖추게 되었다.

'P-C-W-1TD'과 'T1-527 TD'
이게 내 분류번호이다.

그런데 내 이야기를 인간의 언어로 옮겨 준 이는
나를 'm527'로 간단하게 명명했다.

그랬다.
옛 전남도청 복원 추진단은
비파괴 검사 전문가들로 하여금
수성 페인트로 덮인 채
전남 도청 민원실 2층 천장 바로 아래 잠들어 있던 나를
마치 경주나 부여와 같은 고대 도시의 고분에서
귀한 부장품을 찾아내는 것처럼
발견하게끔 했다.

이어 국립과학수사연구소는
고고학자들이 고대 문명의 유적지에서
점판암 등에 새겨진 기호나 그림을 해독하듯이
내게 새겨진 정보를 추적했다.
마치 콘크리트 벽에 못을 박으려다 포기한 자국처럼
보잘 것 없던 나를.

1980년 5월 27일 새벽
전남도청 안팎에서는
계엄군의 무자비한 총격이 가해졌다.
많은 시민들이 쓰러지거나 죽어갔고
그 와중에 나 같은 탄흔들이 무수하게 탄생했다.
그런데 내게는
총알이 매섭게 날라 와 그대로 박히거나

단단한 벽이나 기둥에 부딪혀 튀어나온
탄흔들처럼 강력한 인상이 보이지 않았다.
수없이 되풀이된 발사 실험과
수사관의 정밀한 감식으로도
나와 같거나 겉모습이 비슷한 탄흔은
도청 안팎의 어디에서도 발견되지 않았다.

결국 나를 규명하기 위해 전문가들은
여태까지 보류했던 마지막 가정을 내세우고
실험을 시도했다.
'이 탄흔은 어쩌면
사람의 몸 중 비교적 약한 부분을 꿰뚫고 나온 것'이라는.

체온이 남아 있는 도축장의 고기와
인체와 가장 흡사한 젤 덩어리와
의과 대학 실습용으로 사용하는 인공뼈나 장기 등이
실험 발사용 표적이 되었고
2층 민원실과 똑같은 재질의 환경을 구현하기 위해
벽돌을 쌓아 시멘트 모르타르가 발라지고
다시 그 위에 수성 페인트로 덮인 벽이 설치되었다.
수많은 총격 실험과 함께
컴퓨터 시뮬레이션이 이루어졌다.

M16 소총에서 발사된 총알은
인체나 다른 생물의 몸에 들어갔을 때
대부분 회전력을 잃은 상태에서

네 가지 유형의 궤적을 만든 것이 발견되었다.

첫째 유형,
총알이 강한 추진력으로
내장과 힘줄을 그러쥐고 인체 안에서 형태를 그대로 유지한 경우,
둘째 유형,
총알이 내장과 힘줄과 단단한 뼈 등을 초토화시키고
휴지조각처럼 되어 인체 안에 박힌 경우,
셋째 유형,
총알이 인체를 부수는 데 힘을 소진하여
밖으로 나와 힘없이 바닥에 떨어진 경우,
넷째 유형,
총알이 인체 중 상대적으로 약한 부분을 빠르게 관통하여
벽이나 천정에 흔적을 남긴 경우.

그 중 나는 네 번째 경우에 해당된 것으로서
나를 만든 총알은
약 100미터 떨어진, 지상보다 약간 높은 장소에서
M16 소총 총구에서
발사되었다는 점이 판명됐다.

그렇다면 과연 누가 어떻게 총을 쏘았으며
그 총알은 누구의 몸을 관통했을까?
정말 40여 년 전의 상황을
바둑판의 수처럼 복기하는 것은 불가능한 일일까?

무명C의 노래

아아, 그날 새벽 전남도청에 진격한 계엄군들의 실루엣이 보인다.
방탄조끼를 입은 채
장갑차와 탱크와 헬기 따위를 앞세우고
어둠을 가르며
도심의 거리를 뒤지면서 민첩하게 움직이고,
화염과 피비린내와 단말마의 비명을 만들어내며
진격하는 그들의 모습이.

내가 있는 곳은 2층 민원실 천장 바로 아래다.
그보다 낮은 곳에서 쏘았다는 물리적인 궤적이 내게 남아 있다.
또한 그때 이곳으로 쳐들어온 대다수 공수부대원들은
자동 연발 모드를 유지한 채 사격을 했는데
내 주변 반경 1미터 이내엔
자동 사격으로 인한 다른 탄흔이 발견되지 않았다.
게다가 내 모습은 어떤 탄흔의 전형적인 모습을 보이고 있었다.

마치 가을걷이가 끝난 논바닥에서
미꾸라지 구멍의 지름이 작거나 구멍 주위가 깔끔하면
큰 미꾸라지가 안에 있는 것처럼
비록 인체의 약한 부분을 관통했다고 하나
내 외관이 조잡하게 보이지 않았다.

국립과학수사연구소의 한 수사 팀은
나를 전문 저격수가 만든 탄흔으로 단정했다!
통상 그 저격수들은
목표물을 명중시키기 때문에 여간해서는 탄흔을 잘 만들지 않는다.

그들이 만든 탄착군은
팔의 힘이 억센 누군가가 자동연발로 쏜 것처럼
무분별하게 모여 있지도 않는다.
또한 그 저격수들은 결코
될 대로 되라는 식으로 대충 쏘지 않는다. 그들은
겁에 질리거나 증오 따위로 가득한 채
격앙된 감정에 휩쓸려 방아쇠를 마구 당기지도 않기에
깊이가 얕거나 마구 흩어져 있는 탄흔을 남기지 않는다.

더욱이 그들은
상대방에게 공포만 불러일으켜서
단순히 그를 제압하려는 의도 따위로도 사격하지 않는다.
총의 가늠쇠나 조준경을 통해 설정된 목표물이
사람이라면, 반드시 죽여야 하고,
기폭 장치라면, 반드시 명중시켜 폭파시켜야 하고,
차량이라면, 반드시 파괴해야 한다.

그렇다, 나를 만든 저격수는
1980년 5월21일 대낮에
금남로에서 광주시민들을 향해 총을 난사한
어중이떠중이 저격 병사들과는 차원이 다른
요인(要人) 암살을 목표로 훈련받은 전문가다.
도대체 왜
어떤 중요한 인물이 도청 안에 있었기에
전문 저격수까지 동원됐단 말인가?

무명C의 노래

내 이야기를 인간의 언어로 바꾼 이는
국립과학수사연구소의 결론을 바탕으로
5·18 진상규명위원회의 도움을 받아
그날 계엄군의 동선과 도청 안의 상황을
수소문하고 탐문했다.

1980년 5월 27일 새벽
옛 전남도청 민원실 건물에 진입한 부대는
제3공수부대 11대대 1지역대
1중대(알파 팀)와 2중대(브라보 팀)였다.
뒤에 다른 탄흔들이 증언하겠지만
나를 만든 이는 브라보 팀의 전문 저격수, 김 하사다.

그의 총알에 맞은 이는 누구인가?
그날 도청에서 살아남은 시민 세 사람이
전남도청복원추진단에서 공개한 내 모습 앞에서
마치 내가 살아있는 사람이라도 되는 양
앞 다퉈 증언한 내용은 이렇다.

1980년 5월 27일 새벽 2시경
계엄군이 가까이 왔다는 소식이 전해지자
결사의 각오가 팽배했던 도청 안은 술렁였다.
시민들이 건물에서 빠져나가기 시작했다.
그런데
출입문 쪽에서 누군가 이 흐름을 거스르고 있었다.
그는 당시 생활 전선에 뛰어든 소년들이 썼던 모자,

이른 바 뉴스보이 모자를 쓰고
도청을 빠져 나가려는 인파에 끼어 있었다.
그는 도청 안으로 들어오려고 안간힘을 쓰고 있었지만
그의 어깨에 매달린 게 걸림돌이 되고 있었다.
대학생처럼 보이는 한 친구가
서둘러 나가려는 인파에 끼인 그 물건을 높이 들어 주었다.
그것은 구두닦이 통이었다.
마침내 그 앳된 이는
구두약과 구둣솔 그리고 헤진 장갑과 헝겊과 성냥 따위가 든,
목재로 만든 그 통을 머리 위로 들고
사람들 사이를 비집고 1층으로 들어섰다.

지하실 통로의 벽에 기대어 졸고 있던
한 시민군이 그 소년을 발견했다.
"아까 고등학생들과 여자들은 도청에서 나가라고 했는데……."
"방금 누나들 둘이서 이리 들어가는 걸 제 눈으로 봤는데요."
"그래? 내가 잠시 졸았나…….
 좌우간에 너나 빨리 집에 들어가거라.
 계엄군이 진격을 시작했다고 하더라."
"아저씨 아니 형, 나 총 한 자루만 줘요.
 아까 YMCA 강당에서 사격 훈련도 받았는데
 나이가 어리다고 제게는 총을 주지 않았어요."
"……."
방석모는 한참동안 말없이
소년의 어깨에 걸린 구두닦이 통을 바라다만 보았다.
소년이 다시 호소하듯이 말한다.

무명C의 노래

"21일 금남로에서 내 친구가 계엄군 총에 맞아 죽었어요.
내가 그 친구에게 한번 가 보자고 해서
걔는 무심코 나를 따라왔는데 그만……."
"너도…… 혹시 나처럼 집에 부모님 안 계시냐?"
"아뇨, 할머니가 계세요.
우리 할머니는 죽은 내 친구를 무척 귀여워해 주셨어요.
아마 할머니도 제가 친구 복수하러 갔다면 이해해 주실 거예요."
"복수? 웃기지 마라!
우리들 같은 사람 몇 천 명이 여길 지켜도
여태껏 광주에서 죽은 이들에 대한 복수는 불가능하다.
더군다나 총 꽤나 다룰 줄 아는 이들도
이미 총까지 반납하고 집으로가 버린 마당에…….
모르긴 몰라도 계엄군은 탱크 따위를 앞세우고
방탄복을 입은 채 쳐들어 올 것이다.
우리들은 이곳을 지킨다고
6.25 때나 썼던 고물 카빈총이나 들고 있고!
아서라, 만화나 영화에서 본 복수는 나중에 커서 하고,
일단 오늘은 집에 들어가거라.
여긴 다른 방식의 복수를 꿈꾸며
죽음을 각오한 사람들밖에 없어."
"나는 내 목숨을 걸고 죽은 친구에게 맹세했어요,
꼭 원수를 갚겠다고!
아저씨, 아니 형, 총 있으면 한 자루만 줘요!
정 안 된다고 하시면 다른 데라도 가서 총을 구할 테요!"
"……."
전투경찰이 버리고 간 방석모를 쓴,

그 시민군은 앳된 구두닦이를 뚫어져라 쳐다보았다.

그러고 나서 그는 작정한 듯이 지하 계단으로 내려갔다.

잠시 후 지하에서 올라온

그의 손에는 카빈 총 한 자루가 쥐어져 있었다.

 "좀 전에 여러 사람이 여기서 나가면서

 내게 총을 잠시 맡겨 놓는다고 했지만,

 그들의 표정과 뒷모습을 보았을 때

 다시는 총을 찾으러 올 것 같지는 않다. 옜다."

뉴스보이 모자는 총을 받으며 기쁨을 감추지 못한다.

 "쏠 줄은 아냐?"

방석모가 걱정스러운 표정을 지으며 묻는다.

 "아까 교육을 받았다니까요!"

자신감이 넘친다.

 "어떤 총은 제대로 겨냥해도 총알이 엉뚱한 데로 날아가 버려.

 탄창을 빼 봐라, 총알이나 있는지 확인하게."

앳된 이는 총을 이리저리 작동하지만 탄창을 분리시키지 못한다.

 "아까 배웠는데……."

 "이리 줘 봐!"

방석모는 능숙하게 탄창을 빼서 탄알을 확인한다.

 "이런, 다섯 발 밖에 없구먼."

그는 자신의 탄창을 앳된 이의 것과 바꾼다.

 "나는 실탄이 서너 발만 있어도 충분해.

 여기 지하실의 폭약을 폭파할 용도로만 총을 사용할 테니까.

 방금 너에게 준 탄창엔 총알이 열 발 넘게 들어 있을 것이다.

 그런데 그걸 함부로 쓰려고 하지 마라.

 네가 그걸 쏘려고 우물쭈물하고 있으면

계엄군의 총알은 이미 너의 몸을 관통할 것이다.

난 시민군이 내 옆에서 죽는 걸 두 번이나 봤다.

계엄군은 잘 훈련된 군인들이다.

게다가 그들이 갖고 있는 M16 소총은 명중률도 뛰어나고,

그 총알을 제대로 맞지 않아도 죽거나 병신이 된다.

그러니 웬만하면 그들이 멀리 보이면

그때부터 죽어라고 도망치거나 항복해라.

도망가고 숨는 데 필요하면 그 총을 사용하고."

"옛!"

앳된 이는 씩씩하게 대답하고 돌아선다.

"얘, 잠깐만."

방석모는, 총을 들고 의기양양하게 가는 애를 불러 세우고

자신이 쓰고 있던 방석모를 벗어서 건네준다.

"네가 이걸 쓰는 게 낫겠다."

그는 직접 방석모를 앳된 이에게 씌어주고 목 끈을 단단히 매 준다.

"네 모자는 내가 쓸게. 조심해라.

혼자 따로 있지 말고 형이나 아저씨들 옆에 꼭 붙어 있어라."

그러고 나서 그 시민군은 안으로 들어가는 앳된 이의 뒷모습을

바라보고 나서 다시 벽에 기댄다.

이내 그는 셔츠 호주머니에서 편지로 보이는 쪽지를 빼 들고

그것을 펼쳐 보지 않고 손에 든 채 흐뭇한 미소를 띤다.

"너희 같은 청소년 노동자들을 위해

우리는 따로 시내에 야학 팀을 꾸리려고 했는데……."

대변인은 기이한 모습으로 눈앞에 나타난 앳된 이를 보았다.

그 아이는 방석모를 쓴 채 왼쪽 어깨에는 구두통을,

오른쪽 어깨에는 총을 메고 있었다.
"21일 낮에 금남로에서 제 친구가 죽었어요.
고등학교 다니는 걔는
어릴 때부터 친구인 저를 끔찍하게 생각해줬어요."
"우린 복수를 하려고 여길 지키는 게 아니다.
우린 정의의 이름으로 총을 들고 있다!"
"전 죽은 친구를 두고 복수를 맹세했어요!"
"일단 오늘은 집에 가거라. 총은 거기 두고!"
"싫어요! 저를 어린애 취급하지 마세요.
 저도 어른들한테 들어서 알 것은 다 알아요.
 지금은 당장 여기를 지켜야 해요!
 그렇지 않으면 죽은 내 친구도
 빨갱이나 폭도로 취급당할 게 뻔해요!"
"네 친구의 명예는 우리가 지킨다.
 계엄군이 가까이 왔다. 서둘러 나가거라, 빨리!"
대변인의 단호한 표정에
소년은 고개를 숙인 채 대변인실을 나갔다.
총과 구두통을 그대로 지닌 채.

도청 위 상공에 높이 뜬 헬기의 프로펠러 소리가
도청 안 시민들의 귀청을 때린다.
사방에서 조명탄이 터지고
서치라이트 불빛이 창문을 통해 건물 내부를 훑는다.

"폭도들은 들어라!
 무기를 버리고 투항하면 목숨만은 살려준다.

다시 한 번 반복한다!
무기를 버리고 손을 들고 나와라. 목숨은 살려준다."

2층 바닥에 엎드려 있던 시민군 한 명이
소리가 나는 바깥쪽을 향해 총을 쐈다.
그 총소리는 마치 항복하지 않겠다고 외치는 것처럼 들렸다.
누군가가 악을 쓴다.
"실탄을 아껴! 가까이 오면 쏘라니까!"
어둠 저 편에서 총알이 빗발처럼 쏟아졌다.
밖을 향해 응사하려던 두 사람이 총에 맞아 쓰러졌다.
그들의 비명과 함께 천장에 피와 살점들이 튀겼다.
"창에서 떨어져, 물러서라니깐!"
권총을 든 시민군 한 사람이 엎드린 채 악을 쓴다.
바깥 어둠을 향해 총을 겨누고 있는 이들이
팔목과 무릎으로 기어서 뒤로 물러섰다.
단 한 사람을 제외하고!

대변인은 경악했다.
시민군 중에 방석모를 쓴 이가 여러 명 있어서
지금 물러서지 않은 이가
조금 전에 만난 앳된 이인 줄 미처 몰랐던 것이다.
"얘야, 안 돼!"
대변인의 안타까운 외침이 2층 안에 메아리쳤다.
하지만 그 방석모는, 빗발치듯 쏟아지는 총소리와
여기저기 터지는 조명탄 소리 때문인지
대변인의 외침이 전혀 들리지 않은 것처럼

창틀 바닥에서 조금도 물러서지 않고
서서히 고개를 들었다.
어둠 속에서 뭔가를 간절히 찾고 있는 듯이.

"탕! 탕!"
두 발의 총소리가 거의 동시에 울렸다.
앳된 이의 카빈총에서도 화염을 뿜었다.
앳된 이는 뜨끈뜨끈한 액체가 흐르는
자신의 목을 만지는가 싶더니
친구의 이름을 나지막이 부르고 고개를 숙였다.
"안 돼!"
엎드린 채 그 장면을 바라보던 대변인이 기어서 그에게 다가갔다.
구두닦이 소년의 목에서 피가 흘러
뒤로 젖혀진 방석모 안으로 고이고 있다.
대변인은 그를 안으려고 몸을 일으켰다.
그때 공수부대원들이 총을 난사하며 2층으로 들이닥쳤다.
"항복하면 살려준다! 무기를 버려라!"
시민군들이 무기를 버리고 손을 높이 올렸다.
그러나 대변인은 그들을 거들떠도 보지 않았다.
그는 소년을 품에 안고자 했다.
계엄군들은 그런 대변인을 향해 방아쇠를 마구 당겼다.
총들에서 불꽃이 뿜어져 나오고
대변인은 소년 옆에서 쓰러졌다.

"총을 버리고 투항하라!"
다시 메가폰 소리가 민원실 2층에 메아리친다.

무명C의 노래

여기저기 사무실에서 시민들이 손을 들고 나온다.
계엄군들은 고함과 욕설을 내뱉으며
시민들을 개머리판으로 치거나 군홧발로 짓밟았다.
그들은 아직 열리지 않은 사무실의 문들을 발로 차면서
그 안에 수류탄을 까고 총을 난사했다.
이제 도청 민원실 2층은
총소리와 수류탄 폭발음, 신음 소리와 욕설,
그리고 폭행하는 소리와
화약 연기로 가득했다.

3,4분이나 지났을까?
공수부대원 한 명이 외따로 화염이 자욱한 2층에 올라왔다.
그는 무엇을 찾는 듯이 쓰러진 자들 사이를 비집고 걸었다.
그는 방석모를 찾아 그 주인의 얼굴을 총신으로 젖혔다.
여기저기서 타오르는 불길과
서치라이트에서 나온 불빛으로 앳된 이의 얼굴이 드러난다.
"뭐야, 애잖아!"
그 공수부대원은 비명처럼 소리를 내뱉고
한동안 움직이지 않았다.
최근 한 시민군 생존자가,
계엄군의 군홧발이
자신의 얼굴을 콘크리트 바닥에 짓이기고 있을 때
그 특이한 광경이 눈에 들어왔다고 증언했다.

이것이 내가 생긴 내력이다.
나는 그 앳된 구두닦이의 목을 관통한 총알이 만든 흔적이다.

나는, 요인 암살을 위해 전문 저격수 훈련을 받은
김 하사의 총에서 발사된 총알이 만든 탄흔이다.
무게 4그램의 그 총알은 소년의 목에 들어가자
회전력은 잃었지만 강력한 추진력으로
2번과 3번 목뼈 사이를 뚫고
동맥과 신경과 근육을 일부 끊어버리고 나서
천장 바로 아래 벽에 부딪히고 나서
바닥에 떨어졌다.

나는 사흘 만에 백색 수성 페인트로 덮였고
작은 벌레들에 의해 유린되어 가면서
40년 넘게 방치되었다가
세상에 모습을 드러냈다!
만약 내게서 어떤 전문가가,
영화 '주라기 공룡'에서
화석 모기의 피 속에 있는 공룡의 DNA를 찾았던 것처럼
내 안에 남아 있는 그 소년의 흔적을 찾을 수 있다면,
그 소년의 피와 살과 뼈의 일부가
탄두에 실려 박힌 게 남아 있는 것을 발견할 수 있다면,
비록 그것들이 총알이 인체를 통과하는 순간에 발생한
마찰과 고열에 의해 변형되었을지라도
내게서
그 소년의 DNA를 찾을 수 있을 것이다.
그리고 나는 부활할 것이다,
그 구두닦이 소년의 의연한 넋과 함께!

　　　　　　　　　무명C의 노래

내가 눈을 부릅뜨고 있는 이유(1)

그건 별로 중요하지 않아,
M1, M16 소총과 M60 기관총,
MG 50 캐리버 중기관총 따위의 공식 명칭이
군대를 의미하는 'Military'의 첫 글자를 따서
'M'으로 시작한다는 것은.
80년 5월 당시 시민군들이 많이 소지했던 칼빈 소총마저도
처음 명칭은 'M'으로 시작하지.
내가 'C'라는 이니셜을 갖게 된 것은,
우리 탄흔의 얘기를 인간의 언어로 번역한 이가
시민들이 소지한 총기라면 그것이
M1 소총이든, 카빈 소총이든, 콜트 1911 권총이든
시민을 뜻하는 'Citizen'의 첫 글자를 따서 가져왔기 때문이야.

나는 옛 전남도청 본관 2층에 있는 회의실 출입문 옆 안쪽 벽에 남아 있어.
처음에 나를 본, 비파괴검사 전문가들은 질겁했다고 해.
내가 마치 부릅뜬 눈으로 자기들을 노려보고 있었다고 했어.
말도 안 되는 것 같지?
하지만 현장에서 탄흔들을 목격한 사람들의 얘기를 들어 봐.

그들은 탄흔들이
자신들에게 어떤 메시지를 생생하게 전달했다고 말하고 있어.
도청 본관 1층 서무과 앞에 남겨져 있는 탄흔들을 본 관람객들은
끔찍한 공포를 느꼈다고 했어.
전일빌딩 기총 난사 현장을 본 이들은
한결같이 계엄군의 잔인함에 전율했어.

80년 5월 27일 새벽
불타는 적의를 가지고 계엄군은 도청에 진격했지.
M16 소총 발사 모드를 자동에 맞춰 놓고
반항하는 자는 모조리 죽여 버리겠다는 의지로
방아쇠를 마구 당기며 돌격했지.
탄흔들이 도청 안팎에 즐비한 이유야.

거기에 비해
다소 의아해 할지 모르지만
옛 전남도청 안에는
나 같은 카빈 총의 탄흔들은 찾아보기 힘들어.
당시 거기에 남아있는 시민군들은
도청을 사수해야한다는 의지로 충천했지.
하지만 그들이 맞서 싸워야 할 대상은 정규군이었어.
어둠 속에서
탱크, 장갑차, 무장 헬기 등을 앞세우고
막강한 화력으로 무장하고 쳐들어오는
계엄군을 상대로 시민군들이 할 수 있는 게 뭐겠어?

무명C의 노래

딱총 수준의 카빈 총 몇 정으로 말이야.
게다가 이미 상당수의 시민들은 수습 위원회의 권유에 따라
그나마 가지고 있던 총기를
협상용으로 일찌감치 내어줘 버렸고,
얼마 남지 않은 총을 소지한 시민들마저도
계엄군의 공격이 임박해지자
슬그머니 자신들의 가족이
애타게 기다리고 있는 집으로 철수한 마당에.

물론 일부 시민군들은
도청을 사수하고자 하는 지도부의 의지를 받아들여
도청 진입의 길목이나 공원에서
계엄군을 향해 카빈 총을 쏘기도 했지.
그러나 그걸 총격전이라고 말하기에는 미흡했어.
카빈 총에서 발사된 총알들은
계엄군의 방탄복까지 도달할 엄두를 못 내고
장갑차나 탱크의 두터운 쇠 구조물에 튕기거나
애꿎은 담 벽에 부딪히거나
아스팔트 바닥을 긁고 튀었거나
광주의 밤하늘로 날아가 버렸어.
마치 그림자와 소리를 향해 총을 쏜 것처럼 말이야.
카빈 총알들은 그것을 쏜 시민들처럼 뿔뿔이 흩어지고 말았어.

도청 안팎에 카빈 탄흔이 드문 현상에는 또 다른 이유가 있어.
시민군의 총구는 도청 밖을 겨냥하고 있었지.

어쩌면 시민군은 자신들의 총구에서 발사된 총알이
계엄군의 몸을 정확하게 꿰뚫기에는
역부족이란 걸 잘 알고 있었을지도 몰라.
게다가 그들이 총을 든 동기가
반드시 계엄군을 살상하겠다는 의지에서 비롯되지 않았어.
그들이 도청을 지킨다고 천명한 것도
그냥 죽기 위해서야.
그리고 성공했어.
그들 중 상당수는 죽음을 택하여 영원불멸한 정의를 달성했지.

최근 탄흔을 조사하는 과정에서
한 국립과학수사연구소의 수사관이 나를 주목했어.
내 모습은
도청 안팎에 남아 있던
다른 카빈 탄흔들과 확실하게 달랐기 때문이야.
그는, 내가 있는 곳이 회의실 안이라는 것으로 미루어
처음부터 나를 카빈 총알이 만든 탄흔이라고 추정을 했어.
그러나 여러분도 아시다시피
수사관들은 추정만으로 사건을 단정하지 못하지.
그것을 증거로 입증해야만 해.
그러기 위해서는 그 수사관에게
두 개의 커다란 난관이 기다리고 있었지.
먼저 온전한 카빈 총은
총기 박물관에서 겨우 찾을 수 있을 정도로 구하기 힘들었지.
다음으로는 '30 카빈 탄약'이라고 불렸던,

7.62mm*33mm 사이즈의 카빈 총알들은
국내에 몇 십 발 정도밖에 남아 있지 않았던 거야.
결국 그 수사관은,
세상의 모든 총기류가 널려 있는 미국의 총기 시장에서
발사 실험을 할 정도의 충분한 탄약을 수입하여
본격적인 실험에 착수할 수 있었지.

그는 내가 새겨진 곳과 모든 조건이 일치한 벽을 조성해서
수백 차례 총을 발사했고
결국 내가 끝이 뭉툭한 총알이 만든 탄흔임을 입증했어.

이미 소문을 들어서 아는가 모르겠는데
나를 만든 이는 '박 씨 아저씨'라고 불렸던 시민군이었어.
당시를 기억하는 사람들은
그가 30대 후반이나 40대 초반 정도로 보였다고 증언하더군.
그가 공개된 장소에서 백발백중의 사격 솜씨를 선보인데다가
노련하게 총을 다룬 것을 본
상당수 시민군들은
그가 월남전을 다녀온 '역전의 용사' 출신으로서
어느 동네 예비군 중대장으로 근무한다는 풍문을 믿었어.
물론 그 소문은 한참 뒤에 낭설로 밝혀졌지.

며칠 전 복원 추진위원회가 공개한 내 모습 앞에서
당시 도청에서 체포되거나 투항한 시민들이 왔어.
그들은 확신하더군.

만약 그때 박 씨 아저씨가 도청으로 진입하는 계엄군들을 겨냥해
본격적으로 사격을 가했다면
적잖은 군인들이 총상을 입었을 것이라고 말이야.
물론 그날 도청으로 쳐들어온 계엄군 중 전사자는 없었으니
박 씨 아저씨가 그렇게 하지는 않았다는 것이겠지.
그렇다면 박 씨 아저씨는,
시민들 사이에 명사수라고 알려진 그는
도대체 왜 나를 여기에 남겼을까?
부릅뜬 눈 모양의 나를.

80년 5월 27일 새벽 3시 경
계엄군이 도청으로 진군하고 있다는 전갈이 왔어.
도청 본관 2층 회의실에는
도청을 사수하려는 시민군 외에
그들의 죽음에 대한 결연한 각오를 보고
차마 그들 곁을 떠나지 못하는 시민들이 함께 섞여 있었지.
그들 중에는
계엄군이 쳐들어온다는 말을 듣고 저녁에 집으로 갔다가
잠을 못 이루고 한밤중에 다시 도청으로 돌아온
40대 중반의 시민 수습위원도 있었지.
그는 그날 낮에 죽음을 무릅쓰고 협상차 계엄군 주둔지까지
'죽음의 행진'을 하고 돌아온
이곳 광주에서는 널리 알려진 이야.

무명C의 노래

박 씨 아저씨는
시민군이 아닌 시민들을 향해 거기서 빨리 나가라고 고함쳤어.
그러나 거기에 남은 비무장 시민들은
자신들도 함께 죽겠다고 고집 부렸다고 하더군.
어렵사리 총을 구한 어떤 고등학생은,
거리에서 계엄군의 총에 맞아 길바닥에 죽느니
여기서 자신의 영웅들과 함께 죽겠다는 결의를 보이기도 했어.
결국 시민들을 설득하는 데 지친 박 씨 아저씨는
행동에 나섰어.
그는 회의실 안에
철제 캐비닛과 책상 따위로 바리케이드를 만들었지.
이른 바 '배수의 진'을 친 거야.

그 소식이 도청 안의 여기저기에 알려지자
다른 곳에 있던 서너 명의 시민군이 그리 합류하기도 했어.
결국 그곳에서 죽음을 각오한 시민들의
최후 항전이 이루어졌고
그 와중에 나는 탄생했지.

하지만 내 내력을 보다 더 정확하게 이해하기 위해서는
먼저 다른 탄흔들의 이야기에 귀를 기울여야 할 것 같아.

왜 우리는 이런 모습을 갖추게 되었는가?(1)

- 탄착군, M-2501~M-2505의 의문

우리가 처음 세상에 모습을 드러냈을 때
사람들은 우리를 우연의 소산물로 생각했지.
도청 안팎에 수없이 남겨진 M16 소총의 탄흔들처럼
자동 연발 사격으로 만들어진 탄흔 중의 일부라고 말이야,
과학수사연구소의 한 베테랑 수사관이 등장하기 전까지는.
그는 끈질긴 자동 연발 사격 실험을 통해
발사자가 의도적이지 않으면
우리 같은 기하학적 형태의 탄착군이
나올 수 없다는 것을 확신했어.
누군가가, 한 발씩 쏘아서 우릴 만들었다는 거야.

만약 그의 가정이 맞다면
그 발사자는 어떤 심리 상태에서 우릴 만들었을까?

우리는 옛 전남 도청 본관 2층 벽에 박힌 5개의 탄흔들이야.
각각의 탄흔들을 점으로 삼아 선을 그으면
납작한 오각형의 모습이 등장해.
위에 세 개, 아래에 두 개
각 탄흔은 20센티미터 안팎의 간격으로 떨어져 있었어.

그 수사관은
마치 엑스레이 사진으로 환부를 찾아내는 의사처럼
감마선 촬영 영상을 분석하고
시료를 채취하기도 했어.
또한 그는,
오각형 윗부분 세 개의 탄흔인
M-2501, M-2502, M-2503에서
극소량의 얇은 유리조각들을 찾아내는 데 성공했어.
그리고 오각형 밑변에 해당하는 탄흔
M-2504, M-2505 등이
깊고 좁은 흔적을 보이는 것으로 미루어
사격 선수 급이 만들어내는 탄착군과 비슷하다고 결론 지었어.

그 수사관은 도청 안의 생존자들과 계엄군들을 수소문했고
그들의 증언을 확보하여 마침내
우리의 정체를 밝혀내는 데 성공했어.

그날 새벽에
전남 도청으로 진입한 공수부대는
제3공수 11대대 1지역대 4개 중대였지.

1지역대 안의 전문 저격수는
2중대, 즉 브라보 팀에 편제된 김 아무개 하사와
4중대, 즉 델타 팀의 성 아무개 중사였어.

무명C의 노래

이 둘은 그때그때 차출된 일반 저격수가 아니라
통상 다른 팀원들과 함께 움직이지 않고
요인 암살 등을 목표로
별도의 작전을 수행했던 전문 저격수들이야.

최근 5·18 진상규명위원회 위원들과 면담한
한 공수부대원은
이날 전문 저격수까지 투입시킨 것은,
최대한 빠르게 도청 안의 '폭도를 소탕하고' 싶은
당시 공수 3여단장의 조급증에서 비롯된 것이라고 증언했어.

우릴 만든 이는 브라보 팀의 김 하사라고 추정돼.
왜냐하면 성 중사가 속한 델타 팀은
그날 새벽 도청 별관으로 진입했으니까.

김 하사는
상당수 시민군들이 이미 죽거나 투항하고 난 뒤에야
2층 민원실로 올라왔어.
아직은 어둑했지만
커튼 자락과 시체의 옷가지에서 타고 있던 불길
그리고 창문으로 들어온 서치라이트에서 나온 불빛이
생지옥을 보여주고 있었어.
화염과 피비린내 속에서 신음 소리가 가득하고
피가 낭자한 바닥에는 산 자와 죽은 자가 함께 뒹굴고 있었지.

시민들이 손을 든 채 복도로 끌려 나오기도 하고
투항한 시민군들이 바닥에 엎드린 채
공수부대원의 개머리판과 군홧발로 짓이겨지고 있을 때
그는
방석모를 쓰고 죽은 한 시민군 앞에 다가가서
총신으로 그의 얼굴을 제치고 확인했어.
그리고 외마디 비명 같은 소리를 지르고 나서
고개를 숙인 채 움직이지 않았어.
상병 계급장을 단 공수 특전병이 그에게 다가오기 전까지.

"대대장님이 찾습니다."

김 하사를 보자 대대장은 손에 쥔 권총으로 어떤 곳을 가리켰어.
회의실로 보이는 곳의 출입구를 사이에 두고
수십 명의 공수부대원들이 양편에 서 있었는데
김 하사는 메가폰을 들고
투항하라고 외치고 있는 브라보 팀장에게 갔어.
도청 광장에는 이미 진입한
탱크의 헤드라이트 불빛이 창문들을 통해 들어왔는데
그 빛으로 복도에 가득했던 화염이 점차 걷혀지는 게 보였고
회의실 안의 집기와 사람들의 머리로 보이는 그림자들이
열려진 출입문과 맞은 편 기둥에 어른거렸어.
꽤 많은 수가 그 안에서
바리케이드를 치고 저항하고 있는 게 분명했지.

무명C의 노래

메가폰의 마이크를 쥔 브라보 팀장이 외쳤어.
"무기를 버리고 나와라, 목숨은 살려준다!
손을 들고 나오면 목숨만은 살려준다!"
한 순간 정적이 흘렀어. 그런데
출입구 맞은편에 있던 알파 팀 중사 한 명이 빠르게 움직였어.
그는 수류탄의 안전핀을 뽑고
문이 반쯤 열린 회의실 안쪽으로 수류탄을 집어 넣었어.

그와 동시에 카빈 총이 발사되는 소리가 들렸고
수류탄의 폭발음이 크게 들렸어.
수류탄은 회의실 깊숙이 들어가지 못한 채 폭발된 거야.
그 수류탄을 던졌던 중사는
수류탄 파편에 맞았는지 얼굴을 찡그리며 고통을 호소하며
다른 하사관의 부축을 받아 대열 뒤로 사라졌어.

그러자 이번에는 브라보 팀의 상사 한 명이 나섰어.
그가 화학탄 한 발을 까서 역시 안으로 던졌지만
또 다시 카빈 총성이 들렸어.
화학탄도 회의실로 깊숙이 들어가지 못한 듯
그 안에서보다
바깥쪽 공수부대원들이 쿨럭, 쿨럭, 하며 기침을 해 댔지.

다시 침묵이 흘렀어.
수류탄으로 너덜너덜해진 출입문이
간간이 삐걱거리는 소리만 들렸어.

대열 중간에 있던 팀장과 김 하사가
앞의 부대원들을 한 명씩 제치고 출입구 쪽으로 움직였어.
대원들은 자신들 앞으로 지나치는 김 하사보다는
그의 총에 달린 거대한 조준경을 보고 있었어.

이젠 도청 건물 안 어느 곳이든
총소리나 폭발음이 들리지 않고
멀리서 신음소리와 욕설이 들렸고
시민들을 적군 포로처럼 다그치는 소리만 들리고 있었어.

팀장과 김 하사가 작은 목소리로 대화를 나누고 난 뒤
팀장이 메가폰 마이크로 외쳤어.
"너희들만 남았다. 저 앞에 매달린 등이 보이는가?"

회의실 밖 라운지 천장에 샹들리에가 매달려 있었지.
그 샹들리에에는 중앙에 화려한 유리 장식물을 달고
가장자리에는 6개의 전구가 거꾸로 매달려 있었어.

"일곱 셀 동안 무기를 버리고 나와라. 하나!"
팀장이 침묵을 깨뜨리며 카운트다운을 시작했고
김 하사는 천장에 매달린 샹들리에를 겨냥했어.
때마침 창문을 통해 서치라이트 불빛이 들어온 순간
그가 방아쇠를 당겼어.
샹들리에 전구 하나가 '펑'하는 소리와 함께

무명C의 노래

불꽃을 튀기며 박살났고
그의 뒤와 건너편에 있던 부대원들의 입에서
신음처럼 '음', '아' 하는 탄성이 흘러나왔어.
여전히 회의실 안에서는 아무런 소리도 새어나오지 않았어.

이번엔 어느 커튼 자락에서 불길이 확하고 타 올랐어.
팀장이 다시 외쳤어.
"두울!"
김 하사의 손가락이 까닥했고
전구 하나가 퍽, 소리를 내며 사라졌지.
수십 명이 넘는 공수부대원들이 회의실 출입구 양편에서
김 하사의 사격을 지켜보고 있었고
샹들리에는 심하게 흔들렸어.

그때 갑자기 회의실 안에서 다급한 목소리가 새어 나왔어.
"나, 나갑니다, 쏘지 마세요!"
"안 돼! 나가지 마. 여기서 함께 죽자!"
다른 굵직한 목소리가 처음 목소리를 제압했어.
총구를 겨눈 김 하사의 표정은 별다른 변화가 없었어.

"세엣!"
서치라이트 불빛이 들어옴과 동시에
다시 샹들리에 전구 하나가 퍽, 하는 소리를 내며 사라졌어.

무명 M들의 설렘

전일빌딩과 옛 전남도청에서
수많은 탄흔들이 언론의 스포트라이트를 받고 있을 때
우리는
광주의 벽, 담, 도로, 대문, 천장, 가구, 문설주,
돌멩이, 흙더미, 가로수 기둥 따위에서
도심 곳곳을 매섭게 치고 들어오는
신축이나 재개발 아파트들에 밀려
속절없이 사라지고 있었지요.

80년 광주에 온 계엄군들은
M-16소총과 M-60기관총과 캐리버50 중기관총과 수류탄 따위로
우릴 만들어냈지만
40년 넘는 세월 동안 죽 그래 왔듯이.
우리는 아직도 누구에 의해서도 조사되지도, 명명되지도 않은
무명의 M 탄흔들입니다.

그런데 우리 앞에
한 세대가 훌쩍 지난 지금에 와서야
우리를 만든 주인들이 나타났습니다!
맨 먼저 모습을 드러낸 사람들은
80년 당시 7공수 여단 33대대 소속의

조 중사와 박 하사였지요.
조 중사는 경북 고령 출신이었고
박 하사는 구미가 고향이었는데
둘 다 빈농 출신인데다가
79년에 총살당한 전 대통령을 위인처럼 존경하는
그 지역의 정서를 공통적으로 갖고 있었지요.
둘은 부대 안에서 늘 의기가 투합했고
작전이나 훈련 중 늘 같은 팀원으로서 서로 손발이 잘 맞았어요.

둘은 전역 이후에도 대구 인근 지역에서 제각기 생활하며
특전사 전우회가 만든 인터넷 카페에서
서로 연락하며 안부를 주고받고 살다가
가끔은 직접 만나서 회포를 풀기도 했지요.
그런 둘이 광주 방문을 염두에 두기 시작한 것은,
텔레비전 뉴스를 보고 나서부터라고 합니다.

그 텔레비전 화면에서는
광주 학동의 한 재개발 지역에서
철거되는 건물이 무너지면서
시내버스 정류장의 사람들을 덮치는 장면을
수없이 반복해서 보여 주었지요.
둘은 그걸 몇 차례나 보고 나서
더 늦기 전에 광주에 가겠다고
다짐했지요.

40년이 훌쩍 지난 어느 해던가?

무명C의 노래

5월 17일에 두 사람은
마스크와 모자를 깊게 눌러쓰고 광주에 도착해서
옛 전남도청으로 달려가, 그곳에서
자신들의 과거 행적을 더듬기 시작했습니다.

40여 년 전 한밤중에 송정리 역에 내렸을 때만 해도
그들은 그야말로 의기양양했지요.
둘은, 자신들을 불러들인 이 '말도 되지 않은' 상황이
순식간에 종식될 것이라고 확신했지요.
수없이 거듭된 충정 훈련이 끝나고
출정 전 여단장으로부터 들은 훈화가
그들의 귓전을 생생하게 때리고 있었지요.

"제군들이 그동안 죽을 고생을 하며
혹독한 훈련을 하는 동안에
저 후방의 도시들에서는 소갈머리 없는 대학생들이
적의 앞잡이가 되어 데모질이나 하고 있다.
여러분이 목숨을 걸고
낙하 훈련과 천리 행군 등 피땀을 흘리고 있을 때
그 대학생들은 부모님을 잘 만난 덕에 호의호식하며
하라는 공부는 안 하고,
여학생을 끼고 희희낙락거리며
거리로 뛰쳐나와 빨갱이들의 우두머리를 추앙하고 있다.
우리가 누구 때문에 죽을 고생을 했던가?

자. 가자!

위대한 영도자께서 살아계실 때
우리의 동지들인 제3공수 부대가,
부산과 마산에서
하릴없이 대가리만 굴리며 헛된 구호나 외쳤던 폭도들을
빗자루로 낙엽 쓸 듯 해치워버린 것처럼
 이곳 광주의 저 철없는 대학생과 데모꾼들 입에서
다시는 허튼 소리가 나오지 않도록
다시는 그들이 빨갱이의 앞잡이가 되지 못하도록
초장에 박살내 버리자!
지난 12월, 서울에서 우리가 보여 준 것처럼
불가능을 모르는 우리 공수부대만이
위기에 빠진 이 나라를 구할 수 있다!
이번 기회에 우리 7공수가 3공수보다
훨씬 뛰어난 정예부대라는 것을 확실하게 보여주자.
우물쭈물하면 시위는 확산되고
지난번처럼 나라가 위기에 빠진다.

제군들의 빛나는 성과 뒤에는
그에 상응할 만한 포상이 기다리고 있을 것이다.
두둑한 휴가비와 함께
'화려한 휴가'가 여러분을 기다리고 있다.
가자, 단숨에 쓸어버리자!"

그러나 광주는 부산, 마산과는 달랐어요.
두려움을 몰랐던 그들의 부대는
금남로에서 수백 명의 양민을 학살하고 난 뒤

무명C의 노래

쫓겨 가듯이 도청에서 철수합니다. 이것은
조 중사와 박 하사가 전혀 예상치 못한 상황이었지요.
그리고 퇴각하던 날 두 하사관의 임무는
그들의 부대가 도청에서부터 주둔지까지 이동할 때
차량에 설치된 기관총으로 부대원들을 엄호하는 것이었지요.
도로 주변에 조금이라도 수상한 낌새가 보이면
그들은 기관총을 난사했습니다.
차량의 선탑자인 표 아무개 대위도
권총을 들고 여기저기 사격을 가했고…….

그들의 무차별적 사격은
도청에서부터
전남대 병원 인근과 학동을 거쳐
도시 외곽인 지원동까지 이어졌지요.

누가 다쳤는지 누가 죽었는지
그들은 알 수 없었고, 알려고도 하지 않았어요.
그들은
자존심이 상했고
겁에 질려 있었고
까닭모를 분노에 휩싸여 있었지요.

총알들은 때로는 사람을 과녁으로 삼아 날아갔고
사람을 죽이거나 부상 입히지 못한 총알들은
도시 곳곳에 우리들을 남겼지요.

그 이후 그들은 수십 년 동안 그 거리를 잊을 수가 없었지요.
티브이 뉴스 화면이 되풀이해서 보여준,
건축물 붕괴 참사의 현장은
그들이 꿈에도 잊지 못 했던
바로 그 거리였어요!

그들과 마찬가지로 42년 만에
광주를 찾은 계엄군 출신 중에는 이 상사도 있지요.
그는 당시 3공수 여단 15대대 소속이었는데
전북 김제가 고향이었어요.
그는 부산과 마산, 그리고 광주에 투입되었고
충남 공주가 고향인 배 중사와 주로 한 팀이었습니다.

사격 솜씨가 좋은 배 중사는
공수부대를 유달리 신뢰했던
반란군 우두머리 대통령의 경호원으로 출동했다가
82년에 제주도에서 헬기 추락 사고로 죽었지요.
이 상사는 광주에 들르기 전 국립 현충원을 들러
배 중사 묘소를 참배했어요.

이 상사는 광주 버스터미널에 내려
마스크를 다시 한 번 여미고 나서
관광 안내소에서 받은 팸플릿을 손에 쥐고
옛 주둔지였던 광주역과 교도소를 찾아갔습니다.

80년 5월

무명C의 노래

광주에 투입된 그의 부대는
마치 부산과 마산의 작전에서 보여줬던
'화려한' 성과를 재현하려는 듯
광주의 거리에서 시위대를 향해 용맹하게 돌진했고,
시위대는 그들의 잔혹한 진압 작전에
놀라움을 금치 못하며 흩어졌습니다.

이 상사는 그 장면을 흡족하게 바라보며
처음 이틀간은 시위대와 직접 부딪히지 않고
부대의 후미에서 주로 관망만 하고 있었지요.
자신이 광주와 같은 전라도 출신이라는 동향 의식도 있었고
초등학생 딸을 둔 아버지로서
독하거나 잔인한 행동을 삼가야겠다는 스스로의 마음가짐도
그를 쉽게 나서지 못하게 만들었지요.

그러나 사흘째 되는 날
시위대를 향해 돌진한 배 중사가
날아온 돌에 맞아 피를 질질 흘리는 것을 보고
이 상사의 마음속에서는 전우애가 불타올랐어요.
그 이후부터 이 상사의 행동도
다른 부대원들의 그것과 아무런 차이를 보이지 않았습니다.

날이 갈수록
광주에서는 대학생 외에
일반 시민들이 시위에 대거 동참하기 시작했습니다.

광주 시민들은 마치 불을 향해 달려드는 불나방처럼
두려움을 모르고
공수 부대원들의 살상 행위에 맞섰어요.

마침내 시민들은 택시와 버스와 트럭
심지어 군용 장갑차까지 끌고 나와
금남로를 장악했고
이 상사의 부대를 비롯한 공수부대와 대치했습니다.

강력한 태풍이 몰고 온 집채만 한 파도처럼
거대한 군중은
계엄군을 통째로 집어삼킬 태세였지요.
결국 도청을 진지처럼 사용하던 이 상사의 부대는
백주에 시민들을 향해 총을 난사하고
도시 외곽으로 철수했습니다.

그들은 교도소 인근에 주둔하면서
그곳을 통과하는 모든 것을 향해 미친 듯이 총을 쏘아댔지요.
이 상사의 총구가 조금이라도 허공을 향하면
그들 뒤에서 대대장이 권총을 들고 이렇게 다그쳤지요.
"움직이는 것은 모두 타깃이다.
 지금은 계엄 중이다. 전시 상황이란 말이다.
 사람이든, 자동차든 가리지 말고 지나가는 것은 무조건 쏴라.
 제군들이 빗맞히면 그들은 폭도들로 변해서
 우리에게 총부리를 겨눌 것이다.

무명C의 노래

이것은 명령이다!
전시에 상관의 명령에 불복종하는 자는 즉결처분 대상이다……."

이 상사는
지금은 농산물 공판장과 예식장과 고층 아파트들이 들어선
을씨년스러운 옛 교도소 앞 철문 앞에서
자신이 매복했던 곳을 더듬고 있습니다.

최 상병은 강원도 원주 출신이고
안 상병은 경기도 평택이 고향이었는데
둘 다 80년 5월에 20사단 62연대 소속이었습니다.
60대 중반의 그들은 핸드폰의 지도 앱을 이용하여
당시 자신들이 총을 쏘며 쳐들어갔던
옛 국군 광주 통합병원을 찾았지요.

그들은 건물 안내판 앞에서
철조망 너머로 보이는
낡고 음침한 병원 건물을 바라보았어요.
80년에 그들은 상무대 안 계엄사령부의 명령을 받고
통합병원을 '접수'하러 APC 장갑차를 타고 가면서
도로와 상가와 주택에 수상한 게 보이면
총을 갈기며 나아갔지요.
그들 역시 누가 다쳤는지 죽었는지는 알 수 없었어요.

그들은 군사 작전 중이었고
오로지 점령 대상인 목표물을 향해 달려갔습니다.

그들이 병원 가까이 가자
그 앞에서 카빈 총을 어깨에 멘 세 명의 장정과
대여섯 명의 시민들이 모여 한가로이 담소하고 있었습니다.

당시 병원 안은 타박상, 총상의 중환자들을 위시해서
헌혈자, 보호자, 환자를 간병하는 시민들,
간호장교 군의관, 행정병 등이 섞여 있었지요.
그곳은 피아를 구분하기 힘든
전쟁터의 야전 병원 구실을 하고 있었지요.
도심에서 계엄군이 물러난 뒤에
그곳에선 당연히 계엄군이든 시민이든 묻지 않고
사망자를 수습하고 부상자를 치료했던 것이지요.

최 상병과 안 상병의 부대는
병원 앞에서 서성이며 한가로이 대화하고 있는,
누구와도 전투할 의사가 보이지 않는 그들을 기습했습니다.
그리고 그날 20사단 전투 일지에는
'시민군과 교전하여 몇 명을 사살했다.'라는
'혁혁한 전과'가 기록되었지요.
그 부대의 사단장은
반란군 우두머리 중의 하나였습니다.

이제 두 '역전의 용사'들은
괴기스러운 모습을 하고 서 있는 통합병원을 뒤로 하고
자신들의 기억에 뚜렷하게 남아있는 효천역을 향했습니다.
그곳에서 두 병사는 전우들과 함께 목포 쪽 경로를 차단하고 지나가는 차량과 사람을 향해 총질을 해댄 곳이지요.
야산과 논밭으로 둘러싸였던 그곳의 풍경은
이제 대규모의 아파트 숲으로 바뀌었습니다.
둘은 눈을 크게 뜨고 자신들의 옛 주둔지를 찾다가
한 신축 아파트 입구에 있는 편의점 앞 탁자에 앉아
길고 긴 한숨을 내쉬었습니다.

경남 사천 출신의 정 병장은
80년에 훈련소에서 차출되어
11공수여단 소속 공수 특전병으로 복무했지요.
그의 부대가 강원도 홍천 골짜기에서
광주로 내려 올 때만 해도
그는, 다른 부대원들과 마찬가지로
며칠 안에 시위를 진압하고 부대로 복귀할 줄만 알았습니다.
부대원들은 그 동안 시위 진압 훈련인 충정 훈련을 받았지만
막상 전방에 있는 자신들의 부대까지
광주로 투입될 줄은 아무도 몰랐지요.
처음에 시위대와 맞서는 것은 주로 하사관들이었습니다.
정 병장 같은 특전병들은 주둔지에 머물면서
대대 본부의 통신, 행정, 보급, 운전, 취사 등
자신에게 주어진 역할만 마지못해 때우면
'군대 세월'은 흘러가서
전역을 맞이할 것이라고 믿었지요.
그러나
부대원 중에 한두 명의 부상자가 생기고

시위 진압 작전은 혼돈에 빠져가고 있었지요.
부대원들은 지쳐 갔고
어느 순간부터 몽둥이와 대검 대신에
실탄을 사용하기 시작했습니다.
그리고 하사관들과 마찬가지로
정 병장 같은 일반 특전병들도
시위 진압 작전에 본격적으로 투입됐습니다.

"나는 조준경까지 보급 받아
 건물 옥상에서 시민들을 정확하게 겨냥해서
 총을 쏘았다. 하하!"
한 특전병 동료가 정 병장에게
자신의 사격 솜씨를 뽐내며 말하기도 했지요.
금남로에서 한바탕 학살극을 벌인
그의 부대는 도청을 빠져나와
도시 외곽에 주둔하면서 광주를 봉쇄했지요.

지금 정 병장은
5·18 진상규명 위원회의 초대를 받아 광주로 왔습니다.
그는 위원회의 안내를 받아
자신이 주둔했던 광주의 외곽 마을을 찾아 갔지요.
상전벽해라고 했던가?
한가한 산골 마을이었던 그곳에는
고층 아파트 숲이 빽빽이 들어섰어요.
그는 흐릿해진 기억을 더듬으며
위원회 위원들에게 당시 상황을 증언하고 있습니다.

40여 년 전
광주의 거리와 외곽에서
조 중사, 박 하사, 이 상사, 배 중사,
최 상병, 안 상병, 정 병장 등이
총을 쏘아 댑니다.
그들의 상관들은
자신들에게 밥을 먹이고, 옷을 입히고, 신발을 주고,
각종 무기를 대주던,
주인인 국민을 향해
반란의 총질을 명령했습니다.

M16 소총 총구들이 불을 뿜습니다.
방아쇠가 당겨지고,
공이가 튀어나가서,
탄환의 뇌관을 때립니다,
길이 45mm의 M855 나토(NATO)탄의
화약이 폭발합니다.
탄두는 탄창을 버린 채
총열의 강선을 따라 매섭게 회전합니다.
무게 4그램, 구경 5.56mm의 구리 탄두들이
초당 3000회의 회전을 동반하고
초속 1km에 가까운 속도로
인체를 향해 돌진합니다.

그에 뒤질세라

M60 기관총과
캐리버 50 중기관총 총구에서도
쇠가 녹을 정도로 열을 뿜으며 불꽃이 튑니다.
7.62mm와 12.7mm의 구경을 제각기 지닌 총알들이
1분당 500발로 쏟아집니다.

45구경 권총도 나섭니다.
11.5mm의 구경에 15그램의 무게를 지닌
탄알이 광주의 시가지를 가로지릅니다.
계엄군의 총구에서 나온 총알들이
광주의 거리, 건물, 도로, 안방, 야산을 가릅니다.
뜨거운 탄피들이 흩뿌려집니다.
탄창의 스프링은 튼튼해 총알들을 올려주며
폭발 후 가스는
자동으로 재장전해 줄 정도로 힘이 넘칩니다.
사람이든, 차량이든, 짐승이든, 나무든, 바위든, 건물이든
모든 게 표적이 됩니다.

때론 충성심에서, 때론 적개심에서,
때론 까닭 모를 분노에서, 때론 공포감에 질려서
손가락들이 방아쇠를 당깁니다.

낮이고 밤이고 아침이고 저녁이고
광주의 하늘은 마침내 총성으로 덮입니다.
총소리를 듣고 몸을 피하거나 고개를 숙이면 이미 늦지요.
총알이 총소리보다 빠르게 날라 간다는 것을 깨달은

무명C의 노래

시민들은 군인이나 장갑차나 헬기 따위가 보이면
무조건 몸을 숨기거나 납작하게 엎드려야 하지요.

결국 인구 70만의 도시는
화염과 폭발음과 비명이 가득한 전장이 되고
지옥의 형벌장으로 바뀌었습니다.
민간인이라고
여자와 어린애라고
노인이라고
행인이라고
그냥 시내버스에 탄 사람들이라고
잠시 계엄군의 총구가 흔들리거나 허공을 향한다면
명예를 목숨보다 귀하게 여긴다는
육군사관학교 출신의
대대장과 여단장 등이 나서서
총질의 시범을 보이며 협박했지요.

계엄군을 지배하고 있는 것은
서슬퍼런 명령, 명령뿐입니다!
목숨이 붙어 있으면 확인 사살까지 감행하거나
시체들을 야산에 묻어 버렸고
벌집이 된 차량들은 아무 데나 방치되었습니다.
공수부대든
기계화 전투 사단이든
전투교육 사령부든
계엄군이라면 모두

시민들을 향해 총을 마구 쏴 댔고,
피아 구분 없이 저희들끼리도 쏘았습니다.
80년 5월 광주의 하늘과 거리에는
총알들이 세찬 빗방울처럼 날아다녔고
시민들은 떨어지는 꽃잎들이 되어 쓰러지고
또 쓰러지고
낙엽처럼 길바닥에 뒹굴었습니다.

계엄군들은 50만 발이 넘는 탄약을 사용한 총질의 대가로
혁혁한 훈장을 받았고
그것을 지시한 지휘관들은 마구잡이로 진급을 했고
수괴들은 끼리끼리 모인 파티에서 샴페인을 터뜨렸습니다.
그리하여 5월 27일 새벽까지 광주에서는
도심이든 도시 외곽이든
수를 헤아리기 힘든
우리 '무명의 M'들이 생겨났습니다.

그리고
40여 년만에
우리들을 만든 손가락의 주인공들이
우리 앞에 나타난 것이지요.
그들은 쉽게 우릴 찾지 못하지만
우리는 단박에 그들을 알아봤지요.

신축 아파트 정원 귀퉁이에 박힌 돌멩이
아직도 남아 있는 논두렁과 밭고랑의 흙더미

무명C의 노래

공터에 남겨진 돌 부스러기와 쇳조각과 나무토막
낡은 건물의 벽 등에서
우리는 주인들을 보고 전율했습니다.

우리 탄흔 안에는
그들이 방아쇠를 당길 때 지녔던 찰나의 감정이
그대로 새겨져 있지요.
주인들은 마스크를 쓴 채
우리에게 나타났습니다.
팬더믹 사태와 미세 먼지로 인한,
일상화된 마스크 쓰기가
그들의 광주 방문을 용이하게 만들었던 걸까요?
그들은 우리 앞에 와
거친 호흡을 내뿜었습니다.
바짝 다가선 그들의 눈빛은
무엇인가 애타게 찾는 듯이 강렬했습니다.
그들은 우리 앞에서 뭔가 말하고 싶어 했으나
오랜 침묵의 관행이 그것을 막고 있는 것처럼 보였어요.
간혹 변명처럼 중얼거리는 소리와
쿵쾅거리는 그들의 심장의 박동소리가
우리 탄흔들의 골 안에서 메아리쳤습니다!

아아, 과연 그들은 그동안 어떻게 지냈을까요?
군인 연금을 받고 교회 장로까지 된 조 중사는
오랜 전우였던 박 중사와 함께
한때 80년 광주의 낡은 사진에서

간첩들을 추려내는 세력에 합류했으나
그것이 허황된 거짓임을 알고는
그들로부터 돌아서기도 했지요.

이 상사는 이전에도
친척과 지인의 장례식 때 광주를 방문하여
옛 교도소 인근의 장례식장에 들렀으나
악몽을 꿀 때마다 나타났던 그곳을 부러 외면했지요.

최 상병은
자신이 광주의 계엄군이었다는 사실을 감쪽같이 감추고
평범한 직장생활을 하다가
출장차 광주에 여러 번 왔으나
광주에 하루 이틀 머물면
누가 쫓아오는 느낌이 들어
그때마다 업무만 재빨리 처리하고
도망치듯 광주를 빠져나가곤 했지요.

안 상병은
해마다 5월 상순이 넘어가면
5·18 관련 특집 방송 등으로부터
자신의 눈과 귀를 차단하기 위해
티브이 등 각종 매체를 멀리하는 게 습관이 됐지요.

정 병장은
전역 후에 고향 가까운 항구에서

조그마한 사업을 하며 가정을 꾸린 그는
해마다 5월만 되면 술에 절어 살다가
최근에 큰 수술을 받아 회복 중에 있습니다.

이들 중 두 사람은
'5월 영령'들이 잠들고 있는 망월동에 들러 참배했습니다.

이제 '무명의 M'들을 만든 그 주인공들은
머리가 벗겨지거나
머리카락들이 하얗게 세고들 있었습니다.
얼굴의 주름살들은 깊고
입들은 습관적으로 굳게 다물어져 있고
입술 양쪽 가장자리가 쳐져 있습니다.
아아 얼마나 오랫동안 그들은
광야의 메마른 검불처럼 굴러다녔던 것일까요?
정작 그들에게
무차별적으로 총을 쏘라고 명령했던 반란의 수괴들은
승진을 거듭하며 승승장구했거나
군복을 벗고서도 정치인이나 고위 관료가 되어
떵떵거리며 살면서
자신들의 하얀 손가락으로 돈다발을 세거나
골프장 등을 전전하거나
기름진 음식과 술로 배를 채워 가며 파안대소하고 있을 때
그 모리배들의 하수인이 되어
방아쇠를 당겼던 우리 주인들은
어디에서 어떻게 살았던 것일까요?

간혹 어떤 계엄군들은
왜 그렇게 잔인하게 행동했느냐는 추궁에
자신은 아무런 생각 없이
명령에 죽고 사는 군인으로서
잘 단련된 자신의 팔로 몽둥이를 쥔 채
'폭도'들의 뼈와 두개골을 부쉈고
잘 훈련된 사격술로 그들의 몸에 총알들을 쑤셔 박았지만
그건 자신이 피할 수 없던 과거의 일이라고 항변했지요.
지금도 아무런 회개의 감정이 없는 그들에게
우리 무명의 M들은 호소합니다.

당신에게 명령을 내렸던 그 괴수들이
앞서거니 뒤서거니 하며
지옥의 심판대로 끌려가고 있는 지금
당신의 살상 기술에 의해 죽음을 당한 이들이 묻힌 망월동과,
그때 요행이 살아남아
40년 넘게 고통스러운 삶을 지탱해 온 사람들이
여전히 살아가는 그 도시,
광주를 방문해 달라고.

우리 '무명의 M'들은,
우리를 만든 80년 광주의 계엄군들이
더 많이 우릴 찾아주길 고대하면서
가슴 설레고 있습니다.

무명C의 노래

공개 수배한다!

내 이름은 J-100번이다.
전일빌딩 10층에 있었지만
30년 동안 잊혀져 있다가
어느 날 이름을 부여받고 세상에 등장했다.
최초에 나를 발견한 이들은
내게 아무런 이니셜을 붙이지 않고 '100번'으로 부르지만
내 얘기를 옮겨준 이는 전일빌딩의 영문 이니셜을 덧붙였다.
나는 J-61번과 쌍둥이 형제다.

국립과학수사연구소는, 내가
1980년 5월 27일 새벽 3시 35분경
'UH-1H'라 불리는 헬기 한 대가
전일 빌딩 10층 바로 앞 공중에서
정지비행 상태인 호버링(hovering)을 유지한 채
탑승문에 장착된 M-60 기관총에서
발사된 총알이 만든 탄흔이라고 발표했다.

"죽어라, 죽어, 모조리! 이 폭도 새끼들아!"
사격수는 그렇게 외치며
손가락에 힘을 주며 방아쇠를 죽으라고 당겼을 것이다.

내 주변의 탄흔들은 온몸으로 그것을 웅변한다.
그 총구에서 불을 뿜으며 나온 총알 하나가
기둥에 스쳐 나를 만들고 나서
바닥에 충돌해 J-61번의 탄흔을 만들었다.
내 이웃인
J-101번을 만든 탄환도
기둥을 스쳐 바닥에 J-59번 탄흔을 만들었다.
10여 년 전부터 우리는 유리로 된 전시관 안에서
그때를 증언하고 있다.

그날 새벽 두시 반 경
M60 기관총을 실은 헬기들 열다섯 대가
계엄군 사령부가 있었던 전투교육사령부에서 발진했다.
캄캄한 어둠의 장막이 덮인 광주시 상공 위로
헬기들은 요란한 프로펠러 소리를 내며
여기저기 헤드라이트를 비추면서 저공비행을 하며 날아갔다.
그와 동시에 땅에서는
계엄군들을 이끌고
탱크와 장갑차들이
도청을 향해 진군하면서 지축을 흔들었다.

광주는 군사작전으로 점령해야 할 적의 진지였다.
헬기와 탱크가
새벽하늘과 땅을 뒤흔들고
거리와 골목길을 뒤져가며 진격하는

군화 발자국들 소리 속에서
70만 광주 시민들은 아무도 잠을 자지 않고
숨을 죽이고
도청과 도시의 거리에서
죽을 젊은이들을 생각하며
이불 속에서 흐느꼈다.

아아, 부끄러운 대한민국 국군이여!
창설 이래 이렇게 욕된 행위를 저질렀던 적이 있던가?
자신의 주인이었던 시민들을 향해
적의와 분노로 무장해
살상 행위를 멈추지 않았던 적이 있었던가?
광주 시민의 대표들은
시민군이든 계엄군이든 간에
이 땅의 젊은이들이 희생되는 걸 원치 않았다.
이미 시민들이 소지한
수천 정의 무기와 수만 발의 탄환을
회수한 상태가 아니었던가?.

목숨을 걸고 도청을 지켜야 한다는 결의를 가진 이들은
수백 명에 불과했다.
그리고 그들을 무장 해제시키는 것은
종이 한 장이면 되었다.
이제까지의 과도한 진압과 잔인한 학살에 대해
계엄군이 사과하면

저항의지는 봄눈 녹듯이 사라지고
화해의 실마리가 드러날 것이었다.

그러나 반란군의 수괴들은 평화를 원치 않았다.
그들은 자신들의 코앞에 놓인 권력 덩어리를
놓치고 싶지 않았던 것이다!
그들은 본때를 보여주고 싶었다.
자신들에게 반항하는 자는
시민이든, 국민이든, 학생이든
노인이든, 여자든, 어린이든 간에
그들은 모두 폭도라고 단정했다.

"우리에게 고개를 쳐든 놈들은
죽이든, 때려잡든, 감옥에 가두든 간에
그 씨를 말려야 한다!
우리는 위대한 영도자의 후예들이다.
총애하는 공수부대원들과 계엄군들이여,
쓸데없이 입만 놀리는 썩어빠진 정치 지도자를 추종하며
하릴없이 민주주의만 외치며 적들을 이롭게 만드는
저 폭도들을 쓸어버려라!"

그 명령을 받아 헬기들은 날아올랐다.
그 중의 한 대는 전일빌딩 상공에 정지 비행을 한 채
기관총의 방아쇠를 당겼다.
불꽃과 굉음이 금남로 상공을 덮었다.

지름 7.62mm의 나토(NATO)탄의 탄두들이
초속 1km 속도로
빌딩 옥상과 10층에 쏟아졌다.

"개미 새끼 한 마리도 살려줘서는 안 된다!"
유리창들이 부서지고
천정의 보드는 걸레처럼 너덜거렸으며
대리석 바닥에는 거센 소낙비 방울처럼
총알들이 부딪히며 불꽃을 튀겼다.

거기에 무고한 시민이 있느냐의 여부는 중요하지 않다.
그곳은 수단과 방법을 가리지 않고
점령해야 할 전략적 목표물에 불과했다.
수십 년이 지난 지금도
거기서 누가 죽었는지 다쳤는지는 베일에 가려져 있다.

오랜 세월이 지난 후
그날의 헬기 기총 사격의 진위 여부를 묻는
국회 청문회가 열렸다.
하지만 거기에 불려온 계엄군 지휘관 중
아무도 그 사격 사실조차 인정하지 않았다.

또다시 세월이 흐른 뒤
법정에서 헬기 기총 사격을 두고
공방이 이루어졌다.

반란군의 우두머리였던 전직 대통령도
법정에 출두했다.
잔인한 성격에 더해 과대망상증이 심한 그 노인이 회고록에서
헬기 사격을 증언한,
고인이 된 신부를
'악마'라고 표현한 데 따른 것이었다.

헬기 조종사였던 한 증인에 대한 심문이 이어진다.
"증인, 탄약고에서 반출한 탄약을 어디다 쏘았습니까?"
"위협용으로 들판에 쏘았습니다."
"증인……?"
"나는 아닙니다, 나는 명령에 의해……."

결국 나, J-100은 아비의 정체가 없는 사생아가 되었다.
사격을 명령한 자도 없고
헬기를 조종하거나
기관총의 방아쇠를 당긴 이도 없다.
귀신이 헬기를 몰고 와서
도깨비가 나를 만들었다는 말인가?

이에 나를 포함한
전일빌딩 안팎의 탄흔들은
우리를 만든 그 '용맹한' 군인들을 공개 수배한다!
한때 그들이 스스로 명예를 목숨처럼 여겼던
군인이라면 더 이상 숨어 있지 말고

무명C의 노래

떳떳하게 나타나서 우리의 탄생 내력을 증언해 주길 바란다.

사실 헬기 사격에 의한 탄흔은
우리가 처음이 아니다.
한 5·18부상자회 회원은 휠체어를 탄 채
법정에 나와
전일빌딩을 향한 사격 이전에
시내에서 행해진 헬기 사격을 증언했다.
"그때 요란한 헬기 소리와 함께
'타타당'하는 연발음이 들렸어요.
헬기는 높이도 날지 않고
바로 우리 머리 위에서 불을 뿜었어요.
아스팔트에서 불꽃이 튀고
가로수 잎이 우수수 떨어졌어요.
길을 걷던 어떤 여학생이 총에 맞았는지 쓰러졌고요.
한 부상자회 한 회원은 당시 거기에서 어깨에 총을 맞았는데
그 총알이 하반신을 뚫고 들어갔어요."

그 부상자의 증언은
헬기 사격은 없었다고 하며
죽기 전까지 거짓말의 산을 수없이 넘은
그 대통령을 겨냥한 것이었다.

해마다 5월이 되면
전국 각지에서 나를 보기 위해

사람들이 이 빌딩을 찾는다.
코로나 바이러스가 한참 기세를 떨칠 때에도
사람들은 마스크를 쓰고 우리를 찾았다.
그들은 유리를 사이에 둔 채
우리를 쳐다보며
분노와 슬픔을 감추지 못한다.

반란군의 수괴들인
전직 대통령 둘이 한 달 간격을 두고 죽자
광주 시민들은 말했다.
여기 이 빌딩 안의 무자비한 총격의 흔적들은
헬기 조종간이나 기관총의 방아쇠를 당긴
군인들의 손이 만든 게 아니라
그들에게 잔인한 살상 명령을 내린
그 대통령들과 그를 따르는 반란군들의 혀와 욕망이라고.

나, J-100번과 전일빌딩 탄흔들은
그들 무덤의 묘비보다도
더 오래 남아서
그들의 악행을 끝끝내 증언할 것이다.

무명C의 노래

왜 우리는 이런 모습을 갖추게 되었는가?(2)

- 탄착군, M-2501~M-2505의 의문

"네엣!"
다시 샹들리에 전구 하나가 펑, 하는 소리를 내며 사라졌어.
순간, 김 하사는 조준경에서 눈을 뗐지.
그는 눈을 들어 출입구 건너편을 바라보고 나서
고개를 돌려 뒤를 돌아보았어.
출입구 양편에 늘어선 부대원 중
누구의 총구에서도 화염이 나오지 않는 걸 확인하고
그를 의아한 표정으로 바라보고 있는 팀장에게
김 하사는 고개를 좌우로 흔들었지.
상황을 눈치 챈 팀장이 엄지손가락으로 회의실 안을 가리키자
김 하사의 고개가 까닥였어.
네 번째 전구는 회의실 안에서 발사된 총알이 부순 것이야.

김 하사가 잠시 머뭇거리는 사이
누군가가 급하게 김 하사 앞으로 지나갔어.
"이 개새끼들이!"
그는 총알보다 먼저 욕을 입으로 발사하며
출입구 쪽으로 달려들었어.
단발의 총성과 함께 그의 비명이 메아리쳤어.

그의 군화가 박살난 거야.

그러나 그는

피가 흐르는 자신의 발을 보면서

출입구 옆 벽에 기대어 선 채 거친 숨을 내쉬고 있었어.

그는 포기할 기미를 보이지 않았어.

헛된 명예욕이 그의 용기를 부채질했던 거야.

그러자 다시 단발의 총소리가 들렸지.

화들짝 놀란 그는 출입구 옆 벽에서 물러나며

자신의 얼굴을 매만졌지.

연신 욕을 내뱉으며 말이야.

그는 자기 손에 묻은 것은

피가 아니라 흥건한 땀이란 걸 확인했어.

그때 팀장이 외쳤어.

"강 중사, 그만 둬!"

그는 절룩거리며 출입구에서 멀어져 갔어.

또다시 거친 욕을 내뱉으며.

김 하사가 다시 총을 겨누자 브라보 팀장이 소리쳤어.

"다섯!"

다섯 번째 전구가 터졌어.

이번엔 총소리가 유난히 컸지.

총알 두 발이 회의실 안과 바깥에서 동시에 발사된 것이야.

침묵이 흐르고

팀장이 무전병에게 뭔가를 지시하더군.

무명C의 노래

곧이어 무전 교신 소리가 회의실 밖 복도에 메아리쳤어.
"행망에. 본부, 본부 나와라. 여긴 브라보 하나, 이상"
"여긴 본부, 수신 양호. 브라보 하나 응답하라, 이상."
"여기는 브라보 하나. 전차 포 사격을 요청한다.
 표적은 본관 중앙 2층 대회의실, 잠시 대기. 이상……"
"브라보 하나. 여기는 본부,
 작전 지도상 표적 번호를 불러 달라. 이상."

잠시 후 육중한 탱크의 굉음이 들렸고
전구를 하나만 남겨놓은 샹들리에가 크게 흔들거렸어.
브라보 팀장의 손짓에
출입구 양편에 늘어선 공수부대원들이
거기로부터 멀어져 갔어.

팀장은 얼굴의 땀을 한 손으로 닦으며
악을 쓰듯이 다시 외쳤지.
"여서엇!"
이번엔 마치 자동 연발 사격처럼
두 발의 총소리가 찰나의 시간차를 두고 들렸고
마지막 남은 전구가 펑,하는 소리를 내며 사라졌지.
전구를 모두 잃어버린 샹들리에가 평형을 유지하려는 듯
심하게 흔들리고 있는 가운데
김 하사는 겨눴던 총구를 거뒀어.

탱크의 서치라이트가 다시 회의실을 훑자

여전히 회의실 안의 바리케이드로 사용하고 있는 가구들과
머리의 그림자들이 천장과 바깥 맞은 편 기둥에 어른거렸지.
팀장이 표정을 일그러뜨리며 다시 악을 썼어.
"일고오옵!"
단발의 카빈 총소리가 들리고
그와 동시에
샹들리에가 요란한 소리를 내며 통째로 바닥에 떨어졌지.
팀장과 김 하사가 서로 얼굴을 마주보았지.

다시 침묵이 흘렀고
지도를 펼치고 플래시로 확인하며
표적을 외치고 있는
통신병의 교신 소리가 적막을 깼을 뿐이야.
육중한 탱크 포탑이 돌아가는 소리가
깨지지 않은 유리창들을 흔들고 있었어.

"나간다, 쏘지 마라!"
대회의실 안에서 우렁찬 목소리가 터져 나왔어.
다급한 팀장의 손짓이 있었고
"본부, 여기는 브라보 에코, 중지, 포격 중지를 요청한다!"
무전병의 다급한 교신 소리가 뒤따르더군.

아아, 사람들이 손을 들고 나오고 있어!
2,30대로 보이는 장발의 시민군 다섯 명이 앞장서고
30대 후반이나 40대로 보이는 중년의 남성 둘이 그 뒤를 따랐고

무명C의 노래

교련복을 입고 학생 모자를 쓴 고등학생 한 명,
키가 작은 여자 두 명도 손을 들고 나오는데
한 여자는 방직공장 공원 복을 입었고
다른 여자는 여학생 교복을 입었어.

그때
공수부대원 중 한 명이 그들을 향해 총부리를 겨누었어.
그러자 다른 총이 번개처럼 나타나
그 총신을 눌렀어.

"왜 이래? 이 새끼가! 저 폭도들이 나를 죽이려고 했잖아?"
총신으로 강 중사의 총을 누르고 있는 김 하사는
눈을 부라리는 강 중사를 뚫어지라고 쳐다보며
나직이 그러나 또박또박 말했어.
"모르시겠습니까?
 저 중의 누군가가 중사님을 살려 주었습니다.
 그리고 전쟁 중에도 포로는 죽이지 않습니다."
강 중사는 눈을 이글거리며 '미친!'이라는 말을 내뱉었어.

날이 새고 있었지.
도청 진압이 종료되었다는 무전 교신 소리가 들렸어.
도청 안 마당에는
머리 뒤로 양손을 깍지 낀 채 나오는 사람들도 있었고,
뒷마당에는 총구를 머리에 꽂고 카빈 총을 세운 채
들고 나오는 사람들도 있었지.

강 중사는 절뚝거리며 회의실에서 나온 대열 앞으로
서둘러 갔어. 그러고 나서 입을 삐죽이더군.
"이 새끼들, 내가 서부 갱 영화 한 장면 보여줄까?"
돌연 강 중사의 총구가 도청 뒷마당 쪽을 향하자마자
연발사격 소리와 함께 멀리서 비명 소리가 들렸어.

"하하, 저놈들은 이제 역사 속으로 사라졌다.
 니들이 그렇게 원했던 역사 속으로! 하하."
강 중사는 화염이 나오는 총을 거두고
대열 끝에서 고개를 숙이고 걸어오는
그를 째려보는 김 하사를 날카롭게 흘겨보고
입을 씰룩거렸어.
"총은 전구 따위나 맞히려고 쓰는 게 아니야,
 저격수고 나발이고 빨갱이 하나 쏘지 못하면 어디에 쓸까?"
"뭐라고!"
둘이 서로를 노려보았어.

"야아, 20사단 애들 왔어. 인수인계하고 빨리 철수하자!"
 브라보 팀장이 둘 사이를 끼어 들어 만류하더군.

그런데 뒤에서 누군가가 다시 악을 쓰는 소리가 들렸지.
 "뭐야! 이 새끼, 살아 있는 거 아냐? 왜 날 째려보는 거야?"
대대장이었어.
그는 46구경 권총을

무명C의 노래

방석모 소년 옆에 쓰러진 고수머리를 겨냥해 발사했어.

그 두 발의 총알은
가슴께에 움켜쥔 고수머리의 손바닥과 옆구리를
마치 못으로 박은 것처럼 관통했어…….

최근
그날 회의실에서 나온 한 젊은 시민군은
우리 앞에서 샹들리에를 향한 총격에 대해 증언했어.
"샹들리에에 매달린 전구가 한 개씩 터지며
 사라질 때마다 가슴이 철렁했어요.
 입이 바짝바짝 타들어가고 있었죠.
 네 번째 카운트다운부터였을 거예요.
 박 씨 아저씨도 샹들리에 전구를 겨냥하고 쏘았어요.
 전구가 펑하고 사라질 때마다
 박 씨 아저씨를 제외한 우리들은 약속이나 한 듯이
 뒤에서 신음을 내며 부들부들 떨고 있는 세 사람을 바라봤어요.
 그들 중 누군가는 이를 심하게 부딪히고 있었지요.
 우리는 서로 눈빛을 주고받으며 고개를 끄덕였죠.

 마침내 샹들리에가 바닥에 와장창 하고 떨어졌을 때
 시민 수습대책위원이셨던 아저씨가 다급하게
 '박 형, 쟤들을 살립시다!' 라고 말하고 나서
 박 씨 아저씨가 대답할 틈을 주지 않고
 '나간다, 쏘지 마라!' 라고 외쳤어요."

오각형을 이루고 있는 우리들은
전문 저격수 김 하사가
샹들리에를 향해 쏜 다섯 발의 총알이 만든 탄흔이야.
그와 마찬가지로 샹들리에를 향해 쏜 박 씨 아저씨의 탄알은
회의실 건너편 유리창 밖을 통과하여
광주의 새벽하늘로 날아갔지.

우리는 김 하사에게
왜 우리를 만들었는지 묻고 싶어.

무명C의 노래

내가 눈을 부릅뜨고 있는 이유(2)

- C527의 경고

이제는 60대가 된, 한 젊은 시민군이 당시를 증언했다.
"회의실 안으로
수류탄이나 화학탄이 굴러 들어올 때마다
박 씨 아저씨의 총구가 불을 뿜었어요.
그것들은 번번이
바리케이드 못 미쳐 터졌어요.

카운트다운과 함께
샹들리에 매달린 전구가 하나씩 사라졌어요.
세 번째 전구가 터졌을 때
제 곁에 있던 친구가 겁을 먹고
나간다고 소리쳤어요.
그러나
'곧바로 함께 죽자' 라는 호통소리가 이어졌어요.
박 씨 아저씨가 총신으로
튀어나가려는 그를 막았지요.
네 번째 카운트다운 때부터
박 씨 아저씨도 전구를 겨냥해서 사격을 했어요.

그런데 갑자기 웬 공수부대원 하나가 욕지거리를 내뱉으며
진입을 시도했지요.
우리는 화들짝 놀랐지만
침착하게 불을 뿜은 건 박 씨 아저씨의 총구였지요.
그 공수부대원의 군화가 터지는 모습이 보이더군요.
뒤이어 박 씨 아저씨는
그가 거친 숨을 내뿜으며
기대어 있던 출입구 옆 벽을 향해 쏘았어요.
그때서야 그의 인기척이 사라지더군요."

박 씨 아저씨가
그 공수부대원을 향해
두 번째 쏜 총알이 만든
탄흔이 바로 나다.

"누구든지 우릴 죽이고자 한다면 제 목숨을 먼저 걸어라!"
내게는 이런 경고의 메시지가 담겨 있다.
나는 겁에 질려서 마구잡이로 쏜 탄알이 만든 것도
누군가를 겨냥했는데 빗나간 탄흔도 아니다.
나는 의도가 분명한 탄흔이다!

나를 만든 박 씨 아저씨는
다른 무장 시민군들과 함께 상무대 영창으로 끌려갔지만
다른 이들과는 달리 의외로 빠르게 풀려났다고
그와 함께 있던 수감자들은 증언했다.

무명C의 노래

그러나 그 뒤 그는 잠적했다.

한때 그와 유일하게 연락이 닿았던

40대의 시민 수습대책위원은 그에게 이 말을 들었다고 했다.

"저는 옛 도청을 죽어서라도 지키고자 하는

젊은이들에게 감동을 받아 저도 죽으려고 들어갔는데

죽지도 못했고 도청을 지키지도 못 했습니다.

게다가 저는 눈앞에서 총을 들고

덤벼드는 계엄군을 보고

죽일 것인가, 말 것인가를 두고

순간순간 망설였습니다.

제가 상무대 영창에 끌려가

<u>매질하는 자들에게 내 등을,</u>

<u>수염을 잡아 뜯는 자들에게</u>

<u>내 뺨을 내맡겼고</u>

<u>모욕과 수모를 받지 않으려고</u>

<u>내 얼굴을 가리지도 않은</u>[2] 것은

내 선택에 따른 응분의 대가였습니다.

저는 할 말도 없고 내세울 것도 없습니다.

살아남은 자들은 평생 죄인이 되어 살아가야 합니다.

5월의 영령을 기리고

그날의 광주를 역사에 남기고자 하는

뜻있는 활동에 동참하지 못해

여러 시민들과 동지들께 죄송합니다."

---

2) 이사야서, 50장 6절

그는 자신의 말대로
5월 관련 단체의 회원으로도 활동하지 않았고
아무런 보상금도 신청하지 않았다.

40대의 시민수습대책위원은 몇 년 전에 고인이 되었는데
그는 죽기 전에 이상한 얘기를 주위에 남겼다.

그때 '박 씨 아저씨'라 불리던 그 박 씨가
전직 특수부대 요원일 가능성이 있으며
실제 성은 박 씨가 아닐 수도 있다는 것이다.
그렇다면 나를 새긴 그는 누구이며
도대체 어디에서 무엇을 하며 살고 있는 것일까?

무명C의 노래

무명 C의 노래

어서 오라, 영원한 자유의 길 위에 있는 최고의 향연이여,
죽음이여, 덧없는 육신의 성가신 사슬을 끊고
눈 먼 영혼의 벽을 허물어라.
이 세상에서 볼 수 없던 것을 마침내 볼 수 있게 [3]

나는 어디에 있는가?
내게 말하라.
이곳이 어디인지, 여기에 왜 내가 있는지.
내게 그림자를 드리우고 고개 숙이며 지나가는 그대여,
머지않은 곳에서 고음의 목소리로 떠드는 아이들아
내 물음에 답하라, 이곳이 어디인지를.

여기 붉은 벽돌들은
사람 사는 집의 벽인가
아니면 학교나 교회의 담
그것도 아니면 상가 건물의 벽인가.

---

3) 디트리히 본 회퍼

답답하여라.

햇볕이 내리쬐면
사람들과 자동차의 소리가 내게 와 부딪치고
어린이들의 목소리가 내 안에서 소용돌이친다.
어둠이 깔리면
상가 간판의 네온 빛, 자동차의 헤드라이트 빛
눈부셔서 내 눈이 멀 지경이다.
이슬 내리는 새벽이 되면
사위어 가는 가로등 아래
아침을 여는 사람들의 발걸음 소리,
밤을 꼬박 샌 듯한 취객의 목소리가
가까워졌다가 멀어진다.

어느 날이었던가.
바람에 날려 내게 온 거미 한 마리.
고추씨만한 몸뚱어리에
가는 실 같은 여섯 개의 다리로
낚싯줄 같은 투명한 몸을 꼼지락거리며
살아 있는 기쁨을 맛보기라도 하는 듯
내 주변을 서성거리며 나를 간지럽혔던 게.

그 거미는 밤이 되면 발들을 모으고 움츠려 들었는데
마치 그 모습이
신문 기사를 쓰기 위해 막 찍은 펜촉 끝의 잉크 방울 같았고
방송국의 아나운서가 마이크 앞에서 헛기침을 하고 나서

무명C의 노래

막 열린 입술 사이에서 튀겨 나온 침방울 같았지.
하지만 이틀도 지나지 않았어,
아침 햇빛에 밤이슬이 채 마르기도 전에
쭈그려진 녹슨 동전 같은 깡충 거미 한 마리가
그 연한 잿빛의 어린 거미를 날째게 삼키었던 것은.

내 몸이 잠시 살육의 전쟁터가 된 내력에 아랑곳하지 않은 듯
다시 개미들과 이름 모를 벌레와 날개 달린 것들도
그 가느다란 다리들을 내 위에서 부지런히 놀렸다 가고,
다시 먼지와 소리와 빛들이 내게 덧없이 머물다 가고
행인의 그림자들이 내게 드리울 때면
나는 다시 외쳤어,

여보세요, 거기 누구 있어요?
여기는 어디고 나는 누구에요?

고개를 숙이고 걷는지 귀를 막고 걷는지
슬픔에 잠긴 한숨 소리
나지막하게 두런거리는 목소리들, 떨리는 속삭임들……
세상은 다시 적막 속으로 가라앉고
나는 죽은 거미를 추억한다.

차라리 꿈에서 깨어나지 않고
차라리 꼼지락거리지 않았더라면.

빗물에 쓸려가지 않은 억척스런 먼지,

바람에 실려 온 검불 쪼가리,
자동차 배기가스에 실려 온 타이어 가루,
그 먼지더미 위에
행인들의 공연한 헛기침 소리에 날려 온 듯한
민들레 포자 하나
가녀린 뿌리를 내리고, 빗방울에 잎을 틔우고
그 보송보송한 작은 잎들을 펼치는가싶더니
앙증맞은 노란 꽃 한 송이 피웠네.
돌잔치 아기 손가락에 낀 금반지만한 그 꽃에
때마침 꽃등에 한 마리가 날아와
꽃술 사이로 머리를 파묻어 보지만
꿀이 없었는지 훌쩍 떠나가 버리네.

꽃잎이 펴진 지 한나절이나 지났을까?
미친바람이 비를 가져 오고
또 비를 쏟아 부어
손톱만한 잡동사니 먼지들을 보금자리 삼아
안간힘을 써서 꽃을 피웠던 노란 민들레는,
사나운 빗줄기에 뿌리째 떠내려갔네.
하얀 뿌리와 찢겨진 꽃잎과 이파리들이
밥풀만한 흙과 한 덩어리가 되어
내게서 떨어져 나가고 말았어.
빗물에 쓸려 수챗구멍 속으로 사라졌어.
안녕!

나는 다시 외치네.

무명C의 노래

여보세요, 거기 누구 있어요?

아무런 대답도 들리지 않지만
나는 다시 외치네

여보세요, 거기 누구 있어요?

나는 지쳐가네.

밤비가 내리네.
거울이 된 도로에 수억의 물방울이 튀기네.
자동차와 상가의 불빛이 빗방울에 부딪히네
사람과 자동차의 그림자로
아스팔트 바닥에 수채화가 그려지고
천연색의 빛들이 빗방울에 흩어지는데
나는 까닭모를 눈물을 흘리네.

싸라기눈이 내리네.
눈발이 휘날리면
내겐 한 움큼 만한 눈이 쌓이고 나서
한 뼘 만한 햇볕이 찾아드네.
눈썹 화장을 짙게 한 눈에서 나오는 눈물처럼
내게서 더러운 물이 흐르네
주르륵 주르륵

어느 날

내 앞에
연초록의 덩굴손이 허공에서 아른거린다.
그날 밤 도청 바닥에 엎드려
어둠속에서 계엄군이 어디 있나, 하고
찾았던 그 새까만 동공 같은 것이
내게 다가와서
낙지 다리처럼 내게 찰싹 붙었지만 않았어도
대여섯의 제 친구들을 데리고
앙증맞은 흡반을
유리창에 붙인 어린 청개구리 발가락처럼
내게 꼼짝 않고 붙어 있지만 않았어도

나는 그냥 이 자리에서 풍화되어
영영 사라지는 줄 알았네.
정말 몰랐네.
이 작고 용맹한 병사가 수백, 수천의 군대를 끌고 올 줄
그 병사에게 이끌려
덩굴 줄기와 잎들이 우우 하고
벽들을 타고 내게 진격해 올 줄을.

어느 날부터
나는 환희에 휩싸인 것처럼
덩굴과 잎으로 덮이게 되었네.
그들은 내 햇볕을 가로챘지만
내 비와 바람까지 감당하며
맹렬한 기세를 자랑했네.

무명C의 노래

내게 뜨거운 입김을 훅훅 불어댔네.

사실 그들의 목적은 따로 있었어.
그들은 작은 연두색 꽃잎을 펴고
날벌레들을 불러들이고
도심의 여기저기에서
날개가 찢어진 부전나비를 불러들이고
꽃술들 사이에 꿀을 숨겨 놓아
노린재와 거미와 개미들에게도 꽃가루를 묻히게 했어.

오오 마침내 열매가 열렸네.
그 포돗빛 열매가
까맣게 되기도 전에
참새들과 콩새들이 떼를 지어
가을날 우수수 떨어지는 잎처럼
내게 날아들어
열매들을 콕콕 쪼아 보네,

담쟁이의 한 해 농사일은 이걸로 끝이 아니라네.
마지막 과업은 덩굴에서 물기를 불러들이는 것.
이파리 하나하나를
그날 금남로 바닥의 핏빛처럼 물들게 하는 것
이 벽을 활활 불태우는 것
마침내 그 불꽃마저 사그라지면 서리에 맞서지 않고
매서운 바람에 잎들을 떨구어
몸을 가볍게 만드는 것.

담쟁이의 바쁜 일정이 썰물처럼 빠져 나가면
그때서야 겨울 햇볕이 내게 와 드러눕네.
물기는 거두었지만 내게 자식처럼 달라붙은 담쟁이의 흡반.
잎과 열매를 모두 시집보내고 장가보낸
회색 줄기와 덩굴손과 공기뿌리가
어지러이 내 앞에 널려 있지만
쌓이고 쌓였던 서러움을 녹일 만큼 햇볕은 충분하네.

그래요,
당신은 이미 눈치챘는지 모르지만
나는 탄흔입니다.
낡고 녹슨 카빈총
조준도 제대로 되지 않았던 총
6.25 때 어느 병사의 손에 들려 있던 그 총은,
빨치산 토벌대 경찰의 손을 거쳐
예비군들의 훈련용이 되었다가
M1 소총의 위력에 밀려 창고 구석에 처 박혀
방위병들의 게으른 손길이 기름칠로 범벅해 놓은 총.
내가 파출소 뒤 무기고에서 기약 없는
잠에 떨어져 있었을 때
사랑하는 사람들을 잃은 시민들이
눈물로 부수고 꺼냈던 이른 바 카빈 소총.
나는 그 총구에서 나온 탄환이 만든 탄흔입니다.

1980년 5월 27일 새벽에 나는 태어났어요.

방아쇠를 당겨 나를 만든 손가락의 손톱에는
까만 구두약이 묻혀 있었지요.
그 손의 주인은 고등학생 또래의 구두닦이였는데
한 공수부대 저격수의 총에 목이 맞아 절명할 때
방아쇠에 걸쳐 있던 그의 손가락이 경련하면서
발사된 총알이 나를 만든 것이에요.
지름 7.62mm 길이33mm의 그 총알은
카빈 총의 약실에서 힘차게 폭발하여
뜨거운 탄피를 뒤로 던져버린 채
끝이 뭉툭한 7그램의 탄두만
초속 600 미터의 속도로 출발해
전남 도청 민원실 2층에서 긴 포물선을 그리며
새벽하늘을 날아가
이 붉은 벽돌 위에 흔적을 남겼답니다.

그게 나에요.
한 발의 총알도 제대로 쏘지 못했지만
나를 만든 이는 죽음을 두려워하지 않았어요.

초등학교 때 미술 시간에 크레파스가 없어
도화지에 색깔을 채우지 못하자
자신의 새 크레용을 선뜻 내 준 친구를 위해
점심시간에 단무지 하나로 도시락을 먹고 있을 때
멸치 볶음과 계란 프라이를 함께 나눠 주던 그 친구를 위해
친구가 폭도로 매도당하는 게 싫었기에,
그 구두닦이는 목숨을 던져 친구의 명예를 지켰어요.

우정이 그를 죽음이 두렵지 않은 용사로 만들었지요.

그날 새벽 수십만 발의 실탄으로 광주시를 유린했던,
젊은 군인들과
그들을 한낱 자기들의 주구로 전락시킨 그 흉포한 모리배들은
이 소년 한 명을 이기지 못했지요.
누가 꺾을 수 있겠어요,
사랑한 사람을 잃은 이의 분노를.

그때
어린이와 늙은이는 길바닥에 쓰러져 있었고
처녀와 총각들은 총칼에 맞아 쓰러져 있을 때
밖에서는 자식들이 죽임을 당하거나 노예처럼 끌려가고
집안에서는 죽음이 자리 잡고 있을 때[4]
사람들이 몰려들었습니다, 가자, 도청으로, 금남로로
해 지는 곳에서 해 뜨는 곳까지
사방에서 사람들이 몰려들었습니다.
마침내 광주는 슬픔과 재앙의 옷을 벗어버리고
의로움의 겉옷을 걸치고
영광스러운 관을 머리에 쓰게 되었습니다.[5]

많은 시민군들이
총을 들었지만
사람 하나 매섭게 쏘지 못했기에

---

4) 바룩서, 1장 18절
5) 바룩서, 5장 1절-2절

무명C의 노래

총기들을 다시 회수할 때까지
변변찮은 탄흔들마저 남기지 못했지요.
카빈총이 남긴, 이름 없는 탄흔들,
불의를 향해 총을 들었지만
형제들을 쏘아 죽이기엔 너무나도 여린 마음의
손가락들이 만든 탄흔들,
나는 그 무명의 카빈 탄흔 중의 하나에요.

나를 만든 그 손가락은 지금 망월동에 묻혀 있지요.
살은 썩어서 흙이 되었을 텐데
손가락뼈와 손톱은 흙 속에 아직 남아 있을까요.
그를 쏜 그 군인은 아직 살아 있을까요.
그는 돈과 권력에 눈이 먼 상관의 명령을 받아
살상을 저지른 자신을 후회하고 있을까요.

나는 기다립니다.
봄이 되면 담쟁이의 발그스레한 어린잎들이 새로 나옵니다.
나를 만든 소년은 채 청춘의 꽃을 피우지 못하고 죽어갔지만
햇볕과 바람과 비와 눈은
그 소년의 몫을 대신하여
담쟁이 잎들을 무성하게 키우고 꽃을 피우고
붉은 색으로 벽을 수놓고
하얀 가루가 묻은
검붉은 열매까지 주렁주렁 달게 해 줄 거예요.
나비와 벌과 새와 거미와 작은 벌레가
내게 찾아와서 수없이 되풀이해 온 이야기를 들려 줄 거예요.

그가 구두닦이 통을 들고 이 벽 앞을 지날 때
해질녘이면 그의 그림자가
이 벽돌담에 길게 드리웠지요.
가끔은 친구의 그림자도 함께

이제 나는 이 붉은 벽돌 위에서
무심히 지나가는 자동차들과
이리저리 바삐 오가는 사람들에게
헛되이 외치지 않아요.

내가 무성한 담쟁이로
덮였던 어느 날부터
천지를 뒤흔든 듯한
북소리와 거대한 함성이 들려왔기 때문이에요.
그 소리의 파동이 집채만 한 파도가 되어
내게 와 넘실거렸어요
온몸이 부르르 떨렸어요.
6월 어느 날 담쟁이 잎들이 나를 기쁨으로 덮었던 것처럼.

나는 여전히 이름 없는 카빈 총의 탄흔이지만 아아
5월이면
사람들의 우렁찬 목소리가
나를 깨웁니다.
그들의 함성과 노랫소리에
나는 길든 짐승처럼

무명C의 노래

부르르 떨고 일어나
달려갑니다.
힘찬 메아리가 되어
거센 물결이 되어
내 구석구석을 뒤흔든 함성을 좇아
기쁨에 몸을 떨며
내 존재의 출발점을 향해
힘찬 파동이 됩니다.

잔인한 탄흔들이 가득한 오래된 도청 건물로
광주의 거대한 탄흔인 아시아 문화전당으로
위대한 노랫소리가 울려 퍼지는 민주 광장으로
수많은 시민들이 흉탄에 쓰러졌던 금남로로

나는 날아가서
뜨거운 가슴들에게 안깁니다.
망월동의 영령들도 무덤에서 일어나 그리 달려옵니다.
산 자와 죽은 자가 한데 섞이고
이 세상 모든 것이 거기서 어울립니다.

모든 노래와 함성은 마침내
바람이 되어 항쟁의 깃발을 휘날리게 하고
거대한 총알이 되어 정의의 과녁으로 날아갑니다.
저마다의 가슴에 탄흔 자국을 품은
시민들의 도도한 물결이
기억의 강으로 굽이쳐서

정의의 물길을 빚고
민주주의의 바다로 달려갑니다.

나는
1980년 5월 27일 새벽에
전남도청을 지키던 한 구두닦이 소년이
계엄군의 총에 맞아 죽어가면서
경련을 일으킨 손가락이 만든
이름 없는 카빈 총알의 탄흔입니다.

무명C의 노래

탄흔들의 합창

　　　- 금남로에서

나는 그대의 상처입니다
나를 똑바로 바라보세요
지금 아름다움을 얘기하려거든.

나는 그대의 거름입니다
나를 헛되이 버리지 마세요
오늘 민주주의 꽃밭을 만개시켰던.

우리는 한때 잊혔으나
새벽안개 걷힌 망월동 묘역처럼
세상에 모습을 드러냈도다.

나는 희망의 문지기입니다
내 앞에 죽음이 멈춰섰지요
눈 먼 총알들이 낙서처럼 휘갈긴.

나는 벽에 쓰인 묘비
화염과 비명이 박제되었지요
흉포한 파괴자들의 욕망이 만든.

우리는 한때 잊혔으나

새벽안개 걷힌 망월동 묘역처럼
세상에 모습을 드러냈도다.

나는 버려진 비망록
내 안에 거친 숨이 있어요
증오의 눈썹으로 요동치는.

나는 박제된 불꽃
적의의 화염이 박혀있지요
맹목의 심장과 눈빛이 빚어낸.

우리는 한때 잊혔으나
새벽안개 걷힌 망월동 묘역처럼
세상에 모습을 드러냈도다.

나는 예술의 전당
5월의 꽃향기가 풍기지요
민중의 뜨거운 가슴이 스며든.

나는 함성의 메아리
독재에 대한 저항이지요
금남로에 붉은 꽃잎들로 스러진

오오, 오랜 세월 잊혔으나
새벽안개 걷힌 망월동 묘역처럼
우리는 모습을 드러냈도다.

무명C의 노래

무명C의 노래

갇힌 젊음

e

코로나 바이러스가 창궐한 지 2년이 훌쩍 지났다. 지구를 점령한 그놈은 맨눈으로는 보이지 않는다. 하지만 그놈이 들어온 당신의 몸뚱어리는 고열 또는 갖은 감기 증상 또는 죽음 등으로 반응을 보인다. 그때서야 의료진은 우리 체온을 재고 코에서 채취한 시료를 가지고 과학적 분석을 한 뒤에 놈의 정체를 확인한다. 그놈은 성별과 나이, 인종, 빈부를 불문하고 우리에게 경고한다.

"밖으로 나오지 마라, 돌아다니지 마라, 모여 있지 마라."

40여 년 전 광주에 온 계엄군도 광주 시민을 향해 그렇게 외쳤다. 그들은 날카로운 대검을 꽂은 신형의 M16 소총을 멘 채, 야구방망이처럼 단단한 몽둥이를 휘두르며 광주의 거리를 누비며 소리쳤다. 마치 적진

갇힌 젊음

을 향하는 것처럼 그들은 맨몸의 시위대를 향해 돌진했다. 도심의 거리와 골목마다 비명이 메아리쳤고 아스팔트 도로엔 최루탄 가스 냄새와 피비린내가 진동했다. 마침내 평화로운 도시는 전쟁터가 되었다.

그런데 거기에서 이상한 일이 일어났다. 그 무자비한 계엄군의 폭력에 맞서 광주 시민들이 너, 나 할 것 없이 들고 일어난 것이다. 바이러스에게 몰려 극도로 위축된 삶을 이어가던 지금의 인류와는 달랐다. 수많은 시민들이 끌려가거나 도망치거나 부상당하거나 죽거나 사라지고 있는 그 장소에 마치 자신들이 불사조나 되는 것처럼 이전보다 훨씬 많은 광주 시민들이 나타났다. 적국을 점령한 것처럼 가족과 형제들을 상대로 분탕질에 몰두하고 있던 계엄군들에 맞서, 광주 시민들은 울부짖으며 맨주먹과 돌멩이와 자동차로 저항했다. 그리고 그들은 외쳤다. 자신들의 눈앞에서 잔인한 폭력을 자행하는 계엄군에게 바이러스를 주입한 세력, 절호의 권력 찬탈 기회를 놓치지 않으려는 그 반란군들을 가리키며 소리쳤다.

"이 잔인한 꼭두각시놀음을 당장 그만두라, 우리가 원하는 건 민주주의다!"

그러나 헬기와 방송과 신문들은 광주 시민에게 맞서 시민들을 협박했다.

"폭도들은 투항하라!"

그 '폭도'들이 용맹하게 떼 지어 몰려 들던 곳, 수많은 피를 흘렸던 곳, 그 금남로에 시민들이 다시 모였다. 5·18 민중항쟁 기념일 전야제

무명C의 노래

다. 올해가 42주년인가, 43주년인가? 아니 어쩌면 41주년일지도 모르겠다. 어쨌든 모처럼만에 많은 사람들이 모였다. '폭도'들의 후예로 보이는 관중은 마스크를 쓴 채 무대 공연을 관람하며 모처럼 대중 집회의 자유로움을 만끽하고 있는 것처럼 보인다. 얼마 전만 하더라도 바이러스 방역 조치 차원이랍시고 야외 행사나 공연의 관람객 수를 99명으로 제한했지 않았던가?

나는 인도에 서서 전야제 공연을 보면서 코로나 발발 이전처럼 약간의 흥분에 들떠 있었다. 그랬다. 5월의 금남로는 늘 우리의 가슴을 용솟음치게 만든다. 언제부터인지 전야제는 우리에게 각별한 의미를 지닌 날이 되었다. 21세기에 들어서도 민중들은, 조국의 민주주의가 위기에 몰렸다고 판단되면 5·18 전야제 때 금남로에 모였다. 1980년 수준의 인파가 그 일대를 가득 메웠다. 그때나 지금이나 그들은 여기서 모두 하나가 되어 우렁찬 함성을 질렀다. 그리고 집회가 끝나면 그 인근에서 오랜 '민주화 동지'들은 벅찬 감동을 누렸다.

나는 박수를 치며 전야제 무대 공연을 즐기다가 어느 정도 시간이 지나자 주위를 두리번거리기 시작했다. 아직 어두워지지 않았지만 마스크를 쓴 사람들이 많아 얼굴들이 쉽게 식별이 되지 않는다. 나는 인도와 차도를 구분하지 않고 행사장 주변을 어슬렁거리기 시작했다. 전야제 2부 진행을 맡은 사회자의 목소리가 점점 갈라지고 있다. 전야제가 막바지에 이른 것 같다. 예전 같았으면 이미 여러 번 휴대전화 벨이 울렸을 텐데, 라고 내가 생각한 순간이었다. 누가 내 어깨를 툭 쳤다. A였다. 우린 마스크를 썼지만 단박에 서로를 알아봤다. 오늘따라 A의 큰 키가 돋보인다.

"어때, 공연이 다 끝나 가는 것 같은데……. 먼저 가서 자리 잡을까?"

"그럴까? 영흥식당으로 가세."

"영흥식당 문 닫은 지 언제인데."

"그렇지, 내 정신 좀 봐. 그럼 영흥식당 옆 선술집으로 가세."

우린 건물 사이에 난 비좁은 골목길을 통해 금남로에서 벗어났다. 합창단의 노랫소리와 갈채와 함성은 금남로 이면 도로에서도 우렁차게 들렸다. 우린 서로 약속이나 한 듯이 잠깐 멈춰 서서 문이 닫힌 영흥식당을 바라봤다. 슬레이트 지붕을 인 낡은 2층 건물의 아래층 오른 편에 그 식당이 있다. 2층 창과 벽은, 퇴색한 노란 색 바탕의 '골드뱅크 유학원'이라고 쓰인 간판이 온통 뒤덮고 있다. 과연 저 좁고 낡은 유학원에서 한때 해외 유학과 어학연수의 꿈을 키워 나갔던 청춘들은 다 어디로 갔을까? 그 유학원 간판 아래로 약간의 간격을 두고 영흥식당의 함석 간판이 보인다. 파란 색의 굵디굵은 상호명이 하얀 색 바탕에 쓰여 있다. 상호가 쓰인 출입문 오른 쪽 창문에는 '전어 구이'를 비롯한 10여 개의 술안주 메뉴가 빼곡하게 쓰여 있다. 출입문은 자물쇠로 잠겨 있고, 모서리 기둥 앞에는 전어나 돼지고기 따위를 굽던 앞의 연탄 화덕이 여전히 자리를 지키고 있다…….

6월 항쟁 이후부터 금남로에서는 민주주의에 관한 주요 이슈가 생길 때마다 대규모 군중집회가 열렸고, 우린 그 행사들이 끝나기가 무섭게 이 허름한 선술집에 모여 뒤풀이를 하곤 했다. 그때는 술집 안 공간이 부족하여 밖의 도로와 빈터까지 사람들로 가득했다. 우리는 그곳에서 취기가 오르면 전장에서 돌아온 옛 전우들처럼 "임을 위한 행진곡'을 비롯한 당시 유행했던 민중가요들을 제창했다. 그럴 때마다 나는 1980

년 5월 광주의 현장에 내가 실제로 있던 것처럼 격앙된 감정을 느꼈다. 그 당시에 나는 전방부대에 근무하면서 북한에서 날아온 전단(삐라)을 보고서야 광주에 무슨 일이 있다는 걸 알았을 뿐인데 말이다.

우린 문이 굳게 닫힌 영흥식당 바로 옆에 있는 '구이구이 소주방'으로 향했다. 잘 나갔던 영흥식당에 비해 한때 자매집이라 불렸던 그 소주방은 영흥식당에서 흘러넘치는 손님만 받을 정도로 늘 한적했었다. 그런데 오늘 보니 그 소주방의 주인도 5·18 전야제 행사 뒤풀이가 자기들에겐 대목에 해당하는 것을 알고 있는 것처럼 제법 채비를 갖췄다. 식당밖 도로에 자동차 한 대가 겨우 빠져 나갈 공간만 남겨 놓고 대여섯 개의 탁자가 놓여 있다.

잠시 바깥 탁자에 앉을까 주저하다가 A의 손을 끌다시피 해서 술집안으로 들어갔다. 바깥 탁자 중의 하나에 낯익은 노인이 그의 일행과 함께 자리 잡고 있는 게 보였기 때문이다. 나는 그에게 들키지 않으려고 마스크를 눈두덩까지 바짝 올렸다. 저 노인에게 걸리면 한 시간 넘게 광주의 어느 일류 고등학교 동문들의 무용담을 들어야 한다. 한국의 현대사에 등장했던 유명 정치인들과 사회 운동가 그리고 재력가들의 행적과 일화는, 저 노인의 입을 통해 자신의 모교인 그 고등학교 동문으로 수렴된다. '누구는 내 후배인데 중앙 정부의 이러저러한 자리를 역임했고, 또 다른 누구는 내 동기인데 그 친구가 대통령과 함께……' 등등. 그 70대의 노인은 마치 고등학교 시절에서 성장이 정지된 것처럼 보였다. 지금 그는 일행과 함께 술자리에 앉아, 자기들끼리 정담을 나누는 데 집중하지 않고 그 앞을 오가는 행인들을 유심히 보고 있다.

A와 나는 술집 맨 안쪽 구석에 자리를 잡았다. 술과 안주를 시키고

나서 나는, A에게 5·18 행사 때마다 행사장 주변에서 카메라를 들고 다녔던, 몸이 불편한 후배를 보았냐고 물었다. A는, "그 친구가 80년 5월에 부상당한 이래 골골하다가 지병이 악화돼서 작년에 '5월의 굴레를 벗고' 날아갔다."라고 말했다. 그가 스승처럼 따라다녔던 법사를 따라 망월 묘역으로 갔다는 것이다. 나는 오늘 오전 망월동에 가서 재작년에 유명을 달리한 그 법사를 포함한 지인들의 묘에 참배했지만 그 후배의 묘는 보지 못했다. 아마 내가 미처 들르지 못한, 새 평장 묘들 속에 있었던가 보다. 또 나는 A에게, 5·18 행사가 끝나고 두세 차례 휠체어를 타고 영흥식당에서 우리와 어울렸던 한 부상자회 회원의 안부를 물었다. A는 "그 형님이 여러 차례 시도한 끝에 기어이 자력(自力)으로 5월 광주에서 탈출하셨다."라고 말했다. 그러면서 A는 "5·18 때 고문이나 부상당한 사람들이 지금까지 자살한 사람의 숫자가 40여명 정도 된다."라는 말도 덧붙였다. 나는 A에게 더 이상 묻지 않고 술을 들이켰다.

갑자기 사람들이 우르르 술집 안으로 들어온다. 전야제 공연이 끝난 것이다. 술집 안은 순식간에 앉을 자리가 부족해졌다. 낯익은 눈빛들이 우리한테 와서 마스크를 벗으며 웃는다.
"아까 자네들이 이 골목으로 가는 게 보이데."
엊저녁에 티브이에서 봤던 B가, 광주시 공무원으로 퇴임한 C와 함께 들어오며 우리를 보고 활짝 웃으며 말한다. 그들이 술좌석에 합석하자마자 나는 마치 내게 주어진 '5월의 책무'를 다했다는 듯이 말문을 열었다.
"오늘 망월동에서 봤던 정치인들이 아까 무대 바로 밑 앞좌석에서도 보이더군."
"일찍도 다녀왔네. 올해는 선거가 있잖아? 대통령 선거는 끝났지만 지

무명C의 노래

방자치제 선거가 남아 있지. 선거가 있는 해에는 5·18을 전후로 해서 검은 양복에 황금 배지를 단 친구들이 망월동에 넘쳐나지. 어떤 정치인은 5·18 행사 전야제가 있는 오늘부터 며칠 동안 광주에 머무르기도 해. 국회의원 선거가 가까울수록 그 수가 늘어날 거야."

B는 이렇게 말하고 나서 세상사 다 그렇다는 듯이 허탈한 표정을 띠며 웃었다.

우리는 탁자에 둘러 앉아 각자 취향에 맞는 소주, 막걸리, 맥주 등을 시켰다. 모두들 60대 중반이 되어서 그런지 우리 사이에 한 가지 술을 상대방에게 강제하거나 서로 빨리 마시기를 재촉했던 젊었을 때의 악습들이 사라졌다. 술집 안이 갑자기 떠들썩해진다. 광주가 지역구인 국회의원 한 명이 양복쟁이 두세 명을 데리고 우리 자리로 냉큼 왔다. 그는 A와 B에게 형님, 형님, 하며 술잔을 돌리고 안부를 간략히 묻고 나서 떠났다. 그의 수행원으로 보이는 사람이 그때까지 우리가 마신 술값을 치르고 갔다. 조금 있으니 5·18 기념재단 이사 한 명과 올해 5·18 행사 추진 집행위원, 5월을 이십 년 넘게 화폭에 옮기고 있는 화가, 작가회의 소속 시인, 민주노총 임원 등도 앞서거니 뒤서거니 우리에게 와서 한두 잔씩 술을 주고받으며 떠나갔다. 친구들은 대개 자리에 앉은 채 그들과 인사하거나 술잔을 주고받았다. 단 두 사람을 제외하고는.

첫 번째 예외는 헌팅캡을 쓴 이였다. 그가 우리 자리에 가까이 오자 친구들은 모두 약속이나 한 듯이 자리에서 일어나 그를 맞이했다. 그를 잘 모르는 나도 엉겁결에 일어났다. 그와 악수할 때 얼굴을 가까이서 보니 그의 눈동자 색깔은 특이한 에메랄드빛이었다. 죽음에 가까이 갔다는 표시일까? 그는 선 채로 한잔만 마시고 C에게 내일 늦지 말라고 당부하고 떠났다. 나는 C에게 그의 나이를 물어 봤다. C는, 그가 이제

70대 초반인데 상무대 영창에서 받은 고문으로 폭삭 늙었다고 말했다.

　두 번째로 친구들이 모두 일어났던 때는 머리가 온통 하얗게 서리가 내린 이가 왔을 때였다. 이번에는 내가 친구들보다 먼저 일어났다. 나는 그가 5·18 직후에 옥중에 갇혔던 대학교 은사님인 줄 착각했다. 그러나 그분은 최근에 돌아가셨지 않았는가? 그가 다가와서 우리에게 내미는 손을 잡고 악수하고 나서야 비로소 그가 방송 매체에서 가끔 봤던, 5·18 관련 단체의 대표를 여러 차례 지낸 인사라는 것을 알았다. 그는 자신의 몸이 요즘 좋지 않다며 자리에 앉지 않고 술도 마시지 않았다. 떠나가는 그에게 우리 일행은 다시 엉거주춤 서서 인사를 했다.

　그때였다. 화장실 출입구 옆에 있던 술좌석에서 의자를 바닥에 밀치는 소리가 시끄럽게 들렸다. 누군가가 일어나서 부리나케 그 백발을 쫓아가는 게 보였다. 그는 술집 바로 앞에서 백발의 팔을 붙들었다. 반가워서 그런가 보다, 하고 나는 자리에 앉으며 고개를 돌렸다. 그런데 방금 뛰어나간 남자의 것인 듯한 목소리가 술좌석의 소음 사이를 비집고 귀에 들어온다.

"형님, 지금 1년이나 지났어요! 저도 경제 형편이 좋지 않아요."
"조금만 더 기다려 주소."
"차일피일 미루시다가 이젠 아예 제 전화도 안 받으시고……."
"이번에 내가 기획한 새로운 5월 프로젝트가 통과되었으니 곧 시청에서 지원금이 ……."
백발의 목소리가 잦아든다.

"그놈의 책이 뭐가 중요하다고……."
B가 그 대화 내용을 들은 듯 길게 한숨을 내쉬며 말한다.

　　　　　　　　　　　　　　무명C의 노래

"그러게. 대중들의 관심이 떨어진 책들을 왜 그렇게 자주 출판하시는 지? 한두 번이야 여기저기서 지원을 받을 수 있지만 그게 잦아지면 결국 자비(自費)로 출판해야 할 지경이 되고, 그러다 보면 주위사람들에게 손을 벌릴 수밖에 없는 거야."

C가 B에게 맞장구치듯이 말했다. 그런데 웬일인지 A는 고개를 푹 숙이고 있다. 그러고 보니 A는 바깥에서 금전 문제로 봉변을 당하고 있는 그 백발 선배와 함께 공동 저자로 책을 출판한 적이 있었던 것이다. 잠시 우리들은 어색한 침묵을 유지한 채 술을 한 순배씩 들이켰다.

나는 짐짓 화제를 돌리려고 5·18 특별법에 따른 전망에 대해 C에게 물었다.

"바야흐로 5·18 단체들의 춘추전국 시대가 도래했어. 5·18 유관단체들이 원호처의 재정적 지원을 받는 공법 단체로 변환하게 됨에 따라 5월 관련 단체 사이에 힘겨루기와 이합집산이 이뤄지고 있어."

C는 이렇게 대답하며 길게 한숨을 내쉬었다.

"술 맛 떨어지는 그 얘기는 나중에 하지. 그것보담……."

B는 이렇게 말하고 나서 주위를 한번 둘러보더니 나직하게 말을 이었다.

"난 엊그제 80년 5월 27일 새벽에 도청 서무과 건물에 탄흔을 만든 공수부대원을 만났어."

5·18 진상 규명위원회에서 적극적으로 활동하고 있는 B에게 모두의 이목이 쏠렸다.

"정말로? 그 공수부대원이 자기 입으로 얘기한 거야?"

"그래, 자기가 연발로 사격하며 도청 본관으로 가장 먼저 들어갔다고 증언하더군."

갇힌 젊음

"그 친구가 총으로 죽인 사람도 말하던가?"

내가 이렇게 묻자 B는 나를 한참 들여다보고 나서 입을 떼었다.

"그런 말은 하지 않더군. 우린 그 당시의 계엄군을 상대로 면담할 때 그들을 심문하듯이 추궁하지는 않으니까 당사자가 입을 열지 않으면 아무것도 알 수 없는 게지. 대신에 그 친구는, 계엄군의 경고 방송을 통해 이미 상당수 시민군이 건물의 여기저기서 손을 들고 나온 상태라서 안에서 저항하는 숫자가 그리 많지 않았다고 하더군."

B는 이렇게 말하고 나서 뭔가 연상된 듯 술을 들이켰다. 이번엔 C가 나섰다.

"나도 파트타임으로 두세 차례 진상 규명 활동에 참여했는데, 면담에 응한 공수부대원들의 대다수는 한결같이 '누가 쓰러져 있었다.' 또는 '어떤 계엄군이 잔인하게 대검으로 쑤시거나 총을 쏜 것을 본 적 있다.', 그것도 아니라면 '어떤 장교가 부대원에게 죽은 시민을 야산에 묻으라고 시키는 것을 옆에서 듣고 보았다.' 따위로 증언을 했어. 적어도 증언자 중에는, 시민을 상대로 직접 폭력을 행사하거나 자신의 손으로 살상에 이르게 한 주체는 없었단 거지. 그렇다면 그런 살상 행위를 직접 행동으로 옮긴 군인은 도대체 어디에 꼭꼭 숨어 있는 걸까? 요즘 진상규명위원회에서 마치 고깃배가 저인망으로 바다 밑바닥의 물고기들까지 훑듯이 당시 광주에 진입한 계엄군들을 찾아다니고 있는데 말이야."

A가 바통을 이어받는다.

"나도 두 차례 위원회로부터 부탁을 받고 그 면담 자료를 검토해 본 적 있어. 내 생각엔, 40년이 넘는 세월 동안 광주에 진입한 상당수의 계엄군들은, 자신의 살상 행위가 명령 체계 상 불가피했다고 자위하는 차원을 진작 뛰어넘은 것 같아. 적어도 그들의 기억은 마치 바닷가의 썰물처럼 그때의 잔인한 사건으로부터 멀리 물러난 것 같아. 인간의 기

무명C의 노래

억은 참 편리하지. 적어도 그들 머릿속에서는 40여 년 전 자신이 가담한 광주의 비극이, 영화나 드라마의 한 장면과 크게 다를 바가 없어져 가고 있으니 말이야."

C가 다시 한숨을 길게 내쉬며 입을 열었다.

"피해자 격인 5·18 관련 유공자들의 기억도 엉망이야. 내가 두 차례 조사해 보니 유공자들의 증언이, 당시 같은 시각 같은 현장에 있던 계엄군의 증언과 전혀 부합하지 않았어."

"어쩌면 현재 살아 있는 증인들의 기억만으로는 과거의 역사적 현장을 직소퍼즐처럼 완벽하게 맞추는 것은 불가능할 거야. 세월이 많이 흘렀어. 왜 나이든 사람들은 자신이 편리한 대로 기억을 왜곡시킨다고 하잖아?"

A는 이렇게 질문 형식으로 이 대화를 마무리하고자 하는 의도를 보였다.

"뭐야, 그렇다면 진정한 의미의 진상 규명은 불가능하다는 말이잖아?"

나는 친구들에게 항의하듯이 외쳤다. 그들이 직,간접적으로 참여했던 진상 규명 활동을 염두에 둔 말이었다. C가 내 말에 대답하려다 말고 술을 먼저 마시고 나서 입을 연다.

"아직도 살아 있는 반란군의 주축 세력들 중 하나가 입을 연다면 어느 정도 진상 규명은 하겠지."

"그들은 결코 입을 열지 않을 거야. 자칫하면 현재 자신들이 누리고 있는 안락하고 부유한 생활을 포기해야 할 상황이 될지도 모르거든."

A가 피식 웃으며 C에게 대꾸했다.

"그래도 혹시 알아? 이렇게 우리가 진상규명 활동을 한답시고 이곳저곳을 들쑤시다 보면, 아직 숨을 쉬고 있는 전두환 일당 중 하나가 화장터로 끌려가기 직전에, '나는 시민들을 향해 사격을 하라는 명령을 받고 사병들에게 지시했다.'라는 식으로 고백을 할지……. 자아, 우리가 직접 보거나 듣기 전에는 알 수 없는 예측 따위는 그만두고 한잔씩 드세."

B는 이렇게 말하며 잔을 높이 들었다. 우리는 모두 실없는 웃음들을 띠며 약속이나 한 듯이 각자 자신의 술잔을 들어 서로 부딪혔다. 결국 5.18 항쟁도 한국 현대사의 다른 비극처럼 수많은 피해자만 남고, 사건의 실체는 빙산의 일각만 보인 채 진실의 수면 위에 떠오르지 않을 것이라고 나는 판단했다. 그런 내 생각을 막 입 밖으로 내뱉으려고 할 때였다.

"어이고, 형님들, 오늘은 제가 술 한 잔 올리겠습니다!"

누가 우리 탁자 앞에 서 있다. 우리는 일제히 위를 쳐다봤다. 건장한 체구의 그 사내는 술대접과 막걸리 주전자를 손에 들고 있다. 그의 얼굴이 불그레하다. 앞머리가 많이 벗겨지고 새치가 드문드문 보이는 걸로 보아 우리와 비슷한 연배로 보인다. 그는 옷깃에 5·18부상자회 배지를 차고 있었다.

"형님들, 안주도 시켜 놓았으니 곧 대령할 겁니다."

그는 B에게 먼저 술을 따르고 나서, 깍듯한 자세로 우리 셋에게 일일이 술의 종류를 물으면서 술을 따라 주었다. 그 자신도 우리가 따라 주는 술잔을 연거푸 비웠다. 취기가 오른 듯 그가 갑자기 목소리를 높인다.

"그때 말입니다, 형님들! 지가 맨 앞에서 버스를 몰고 도청 앞으로 가는디, 지 눈앞에 도청 광장을 가득 메운 군인들이 바리케이드를 치고 총을 떠억 내게 겨누고 있더랑께라. 덜컥 겁이 나서 차를 멈추고 뒤를 돌아다 봤지라. 그랬더니 참말로 금남로 끝이 보이지 않을 정도로 자동차와 시민들이 새까맣게 모여 있었당께라. 그걸 본께 힘이 불끈 솟더구만이라. 고개를 돌려 다시 엑셀 페달에 발을 얹었지라. 하지만 차를 다시 몰고 가려고 하는디 버티고 있는 공수부대를 보니 앞이 캄캄하더구만이라. 진짜로 아무것도 보이지 않았지라. 하지만 내가 누굽니까? 저는 눈을 일부러 부릅떴지라. 그랬더니 공수부대원들 얼굴들 하나하나와 나를 겨눈 총구들이 쬐깜씩 보이더구먼이라. 저는 악을 쓰며 액셀을 밟았지라. 야이, 이 개새끼들아아아! 아아, 그때 참말로 지 가슴이 터질 것맨키로 벅차오르더구먼이라……."

그의 침이 새로 가져온 안주에 튀겼지만 나는 무시하기로 했다. 저 친구는 지금 생사의 갈림길에 있지 않은가! 5·18기념 재단의 이사를 두 차례 역임했던 B가 웃으며 말했다.

"자네가 여기 멀쩡하게 있는 걸 보니, 그러고 나서도 죽지 않았구먼?"

"아이고오, 형님도 당해 봤으면서 그런 걸 말이라고 하우? 참말로 상무대 영창에 있을 때는 죽지 못해 살았지라. 온몸이 맞아서 더 이상 성한 데가 없을 때가 된께 가석방으로 풀어줍디다. 하아. 말이 3개월이지, 그땐 그 지옥의 시간이 영원히 끝나지 않을 줄만 알았당께요."

그의 눈동자가 잠시 흐릿해지는 게 보였다. 그러나 그것도 잠시, 그는 입가에 묻은 막걸리를 손으로 훔치고 나서 다시 목소리를 높였다.

"참말로 그때……."

그의 표정은 돌변했다. 그러고 나서 그는 공수부대를 향한 버스 돌진 장면을 다시 한 번 재현했다. 이번에 공수부대원 두 명의 놀란 표정까지도 세세하게 묘사했다. 아마도 당시 그가 버스로 돌진한 시간은 실제로 30초도 채 되지 않았을 것이다. 나는 허공을 향한 그의 눈길을 보며 죽음을 두려워하지 않았던 그 짧은 시간이 저 친구의 삶을 결정지은 순간이었음을 조금도 의심치 않는다. 다소 과장되어 보이는 그의 무용담에 고무되었던지 내 입에서도 엉뚱한 말이 튀어 나왔다. 그놈의 취기가 늘 문제다.

"전두환, 참 운이 좋았던 친구여."

내가 이렇게 운을 떼자 그 버스 돌진의 영웅이 나를 물끄러미 봤다. 내친김에 나는 계속 나가기로 했다.

"80년 5월에 난 강원도 전방 부대에 있었는데 거기서 난 일등 사수였거든. 만약 내가 그때 광주에 있었더라면 그 친구는 제 명에 죽지 않고 내 손에 끝났을 거야."

"글쎄요. 당시 그 인간이 몰래 광주 공항에 왔다는 증언이 최근에 나오긴 했지만……. 아무리 선배님이 명사수라 해도 보이지 않는 타깃을 맞추기는 힘들 걸요, 하핫."

부상자회 친구는 내 얼굴을 똑바로 보며 침을 튀겼다. 나도 여기서 물러 설 수는 없다.

"그래도 난 군대에서 100미터 이상 떨어진 곳에서 움직이는 타깃까지 정확하게 맞혔어……."

나는 그 친구에게 질 생각은 없었다.

"아따, 그렁께 거, 지 말씀은요, 남의 목숨을 쉽사리 뺏는 악당 새끼들은, 정작 자기 목숨만은 중요하게 여긴당께라. 그런 놈들은 밤중에만 몰래 돌아다닌께 총 같은 걸로 쉽게 안 잽힌다니까요. 혹시 그 쥐새끼 머리가 벗겨져서 빛이 반사되었다믄 또 몰라도."

그의 거친 유머에 친구들은 너털웃음으로 동조를 표시했다. 나도 어설픈 웃음을 지어 보였지만 내 마음 한 구석에서는 가상의 내 무용담을 무참하게 무찔러 버린 그 친구에 대한 은근한 반발심이 사라진 것은 아

무명C의 노래

니었다. 하지만 당시 광주에 없었던 내가 더 이상 무슨 말을 할 수 있겠는가. 나는 5·18 항쟁과 관련하여 광주 바닥에서 제법 유명세를 누리고 있는 여기 친구들의 대학 동기에 불과할 뿐이지 않은가?

80년 5월이나 그때를 전후한 격동의 시대를 거친 우리 세대 사이에는 각자가 기여한 민주화의 성취도에 따라 보이지 않는 위계가 엄연하게 있다. 가장 높은 곳에는 권력에 의해 죽임을 당한 사람과 그 가족이 위치하고 있었다. 그 아래로는 투옥 기간과 고문과 부상의 정도에 따라 투사의 서열이 암암리에 매겨져 있다. 그런 측면에서 보았을 때, 저 부상자회 회원의 위상에 비하면 나는 그야말로 '아무것'도 아니지 않은가. 저 친구가 내 친구들을 '형님'으로 부르고 있는 걸로 보아 그는 당시 우리 나이인 스물 셋도 안 되었을 것이다. 그의 증언대로라면 그는 스무 살을 갓 넘긴 나이로 아마도 갓 배운 운전 솜씨를 가지고 계엄군을 향해 목숨을 걸고 돌진했을 것이다. 저 용맹한 친구가 보기엔 나 같은 5·18 국외자의 허언은 그야말로 가소롭기 그지없었을지 모른다.

코로나 바이러스가 극성을 부린 기간을 제외하고는 해마다 5월이 되면 이곳, 옛 전남도청 주변의 술집엔 어른들로 북적인다. 술자리 화제는 대부분 80년 5월이다. 그들의 입에서는 자신이 끌려가거나, 맞거나, 부상당하거나, 도망갔던 행적들이 스스럼없이 튀어나온다. 현재 살아 있는 자와 과거의 열사들이 그들의 극적인 일화 속에 마구 섞여 있다. 각종 자료와 매체를 통해 내가 피상적으로 알고 있는 5·18은, 이들의 구체적인 체험담을 만나 생생한 모습으로 내 머릿속에서 재현된다. 술좌석에서는 그 5월의 주인공들 앞에서는 현직 국회의원이나 자치단체장들은 엑스트라나 조연급으로 전락한다. 나는 그 주연배우들의 얘기를 듣고 있으면서, 그들이 과장하거나 왜곡해서 말하고 있지 않나, 하는 의구심이 들 때도 있었지만 곧바로 그런 불손한 생각을 일축해 버리곤 했다. 한때 생사의 갈림길에 있었던 그들의, 소중한 기억과 감정을 섣불리 훼손해서는 안 된다고 생각했기 때문이다. 5·18을 겪고 나서 한 세대를 넘게 살아온 사람들이 자신의 기억에 그때그때의 시대상과 변화무쌍한 세상사를 조금 반영한다고 해서 큰 잘못은 아니리라.

그런데 오늘 만나고 있는 대학 친구들은 달랐다. 그들은 자신들의 유명세에 걸맞지 않게 술자리에서 5·18과 관련하여 목소리를 크게 내지 않았던 걸로 나는 기억한다. 이들 중 어느 누구도 5·18 관련 단체의 윗자리를 차지한 적도 없다. A와 B는 5월 단체의 이사를 맡기도 했는데 그때마다 누구누구의 부탁을 거절하지 못해 마지못해 그 자리를 수락했다고 내게 말하곤 했다.

우리보다 학번이 1년 늦은 A는 우리보다 머리 하나 더 있을 정도로 키가 훤칠했고 5·18 때 많은 사상자를 낸 야학의 교사 즉, 강학 출신이다. 그는 5·18 초기에 투사 회보 작성에 관여했지만 5·18 유공자는 아니다. 그는 82년엔가 국가보안법 위반 혐의로 구속되어 1년 넘게 감옥생활을 했다.

B는 학교 다닐 때 상체가 옆으로 퍼져 다부진 몸매를 과시했었는데, 탈춤 동아리를 만들어 활동한 것이 빌미가 되어 강제 휴학을 당했다. 당시 독재정권과 그 꼭두각시인 대학 당국은 탈춤 연희가 지배 계층을 풍자한 내용을 담고 있다고 하여 탈춤 동아리를 공공연하게 탄압했다. B는 휴학 상태에서 5·18을 겪었고 그의 탈춤 동아리 친구인 '홀쭉이'와 함께 다른 곳에서 별도의 유인물을 만들다가 나중에 야학 팀과 함께 유

무명C의 노래

인물을 공동 제작했다. 그는 계엄군이 금남로에서 시민들을 집단 학살하고 물러난 뒤 '해방 광주'의 도청 집회에서 두 차례나 사회를 맡아 이름과 얼굴이 널리 알려지기도 했다. 5·18 직후에 그는 도피했다가 1981년에 자수하여 8개월간 교도소 생활을 마치고 출감했다.

중키에 근시인 C는, 전투경찰로 병역 의무를 마치고 복학생 신분으로 5·18을 맞았다. 그는 내게 장난기 가득한 얼굴로 "나는 '도청 주변 배회자'로 분류되어 상무대 영창에서 죽도록 맞고 풀려났다."라고 자신이 5·18 유공자가 된 내력을 웃으며 얘기하곤 했다. C는 상무대 영창 생활 때 생긴 트라우마 때문인지 자신의 취업 목표를 낮춰 뒤늦게 광주시청 공무원이 되었다. 그는 3년 전에 정년퇴임하고 나서 5·18을 기념하는 청소년 예술 단체를 이끌고 있다.

A와 B는 광주에서 수십 년 동안 각기 자신의 고유한 영역에서 내로라하는 유명세를 탔지만 그들의 호주머니는 늘 비어 있었던 것 같다. A가 술자리에서 몇 차례 술값을 치렀던 시기는, 후배가 광주의 어느 구청장을 할 때 구청 산하에 있는 단체의 대표이사를 맡았을 때뿐이었다. 그러나 그로부터 2년 뒤에, 다른 자치단체장이 들어서는 바람에 쫓겨나듯 그 자리에서 물러 나와 다시 가난한 술꾼의 신세를 못 면하였다. B는 출감한 뒤 서울의 학원가에서 스타 강사로 목돈을 벌었다는 소문이 있었으나 몇 년 뒤 광주에 내려온 그는, 예전처럼 무일푼이 되어 있었다. 그 둘에 비해 직장이 있었던 C와 나는, 둘처럼 명성이 널리 알려지지 않았지만 주위 사람들에게 술값에 인색하다는 소리를 듣지는 않을 정도로 처신할 수는 있었다.

이미 말했다시피 세 친구와 달리 나는 광주에서 5·18을 직접 겪지 않았다. 전남에서 직장 생활하다가 6월 항쟁 이후가 되어서야 대중적인 민주화 운동에 겨우 동참했을 뿐이다. 실로 여기 대학 친구들의 유명세에 비하면 나 같은 존재는, 새가 부리로 자신의 날갯죽지를 다듬다 무심결에 남긴 깃털 조각 정도밖에 되지 않았다.

그런데 언제부터인가 나는, 이 친구들을 만나면 80년 5월 당시 그들의 구체적인 행적이 궁금해지기 시작했다. 우리는 1990년 무렵부터 해마다 5월이 되면 두어 차례 이상씩 만났다. 그런데도 나는, 내 친구들의 5·18을 전후로 한 행적에 대해서는 그때그때 언론에 소개된 단편적인 내용과 대학교 연구소의 자료실에 저장되어 있는 그들의 짧은 진술 외에는 전혀 모르고 있었다. 그들을 만날 때마다 그것을 묻고 싶은 충동이 일었으나 나는 의문들을 차마 입 밖으로 내뱉지 못하곤 했다. 비록 친구들이라고 하지만 그들의 악몽 같던 과거사를 캐어 묻는 것은 언제나 조심스러웠기 때문이었다.

그러나 이제 우리는 60대 후반에 접어들고 있다. 내가 지금 친구들에게 과거의 시시콜콜한 동선을 캐묻는다고 한들, 설마 그들 과거의 아픈 상처가 새삼스러이 덧날 수 있을까? 술이 어느 정도 취하자 나는 다시 고질병처럼 친구들에 대한 호기심이 도지기 시작했다. 어떻게 해서 80년 광주의 그 10일 동안 그들은 살아남을 수 있었을까?

내 취중 허언을 단숨에 후려쳐 버린 그 부상자회 친구는 자신의 비용으로 술을 추가 주문하여 우리에게 한두 잔씩 더 돌리고 나서야 의기양양하게 자기 술자리로 돌아갔다.

나는 그때를 기다렸다는 듯 우리와 이웃한 술자리에 있는 사람들에게 들리지 않게끔 나직한 목소리로 세 친구에게 물었다. 80년 5월 27일 새벽 계엄군의 공세가 있기 직전의 밤에 그들이 각각 어디에 있었는가를. 나는 두 번에 걸쳐 그 시각을 정확히 반복해서 강조했다. 그러자 친구들 입에서는 놀라운 말이 튀어 나왔다. 세 명의 대학 친구들은 80년 5월 26일 밤에 서로의 구체적인 동선에 대해 전혀 모르고 있었다. 그날 밤 의외로 A는 광주에 없었고, B는 YWCA에 있었으며, C는 도청 주변을 배회하고 있었다고 제각기 말했다. 강력한 호기심이 발동했다.

"그러니까 그때 자네들은……."
 내가 그들의 구체적인 동선을 다시 확인하고자 입을 열었다. 그러나 하필 그때 마치 약속이나 한 듯이 A와 B의 휴대전화가 동시에 울렸다. 걸어서 2분도 걸리지 않은, 창고형 술집에서 그들의 지인들이 경쟁적으로 그리 오라고 연락했기 때문이다. 나는 거기서 내 궁금증을 마저 해소하리라고 마음먹고 계산대로 갔다.
"어이, 오늘은 아냐! 오늘은 나야 나. 그저께 한 시간짜리 티브이 인터뷰를 한 덕택에 술값이 생겼거든!"
 B가 급하게 호주머니에서 돈을 꺼내며 말했다.
"어허, 오늘은 술값 조로 나도 현금을 챙겨 가지고 왔는데. 나도 엊그제 신문에 기고하여 원고료를 받았거든, 그럼 2차는 날세."
 A가 밖으로 나오면서 모처럼만의 기회를 잃은 듯 아쉬워하며 말했다.

 어쨌든 광주의 5월은 '그들의 달'이었다. 우리들은 밖으로 나와 조금 걸어가서 치킨 체인점을 겸한 창고형 술집에 들어갔다. 넓은 홀에 가득 찬 사람들을 보니 이곳에서 전야제가 계속 열리고 있는 게 아닌가, 하는 착각이 들었다. 내게는 이 대형 술집이야말로 이전의 영흥식당이 가졌던 5·18 뒤풀이의 영예로운 전통을 이어받은 것처럼 느껴졌다. 아까 선술집에서 잠깐 얼굴을 비쳤던 친구들의 상당수도 먼저 이리로 옮겨온

게 보였다. 전야제 공연 무대 앞쪽에 앉았던 단일한 복장을 한 노동자들은 테이블 여러 개를 차지한 채 목소리를 높이고 있었다. 술집 안쪽의 별실은 전국 각지의 이런저런 단체에서 왔다는 것을 보여주는 명찰을 찬, 이른 바 5·18 순례객들이 눈에 띄었다. A는 5월 항쟁에서 주요한 역할을 했던 야학 팀이 있는 자리로 나를 끌고 갔다. B와 C는 벌써 이런저런 '5월 단체' 회원들과 이미 섞인 듯싶었다. 나는 야학 팀의 자리에 있으면서 80년에 총상을 입어 다리를 저는 친구에게 A의 행적을 은근히 확인하려고 했으나 별 소득이 없었다. 평소 얼굴을 트고 지냈던 노동조합 간부 한 명이 나를 알아보고 자기들 자리로 끌고 갔다.

늘 이렇다. 나는 여느 때처럼 친구들의 행적을 추적하는 것을 여기서 멈춰야 했다. 우리 넷은 마치 물 만난 고기처럼 여기저기 좌석을 돌아다니며 각각의 지인들과 어울리기도 하고 서로를 소개시켜 주기도 했다. 자정이 다 되어서야 술집에서 나왔다. 나는 세 친구들 중 A라도 붙들고 술자리를 이어가고자 했으나 A는 내 은근한 추궁에 지쳤는지 손사래를 쳤다. 나는 A와 헤어지고 나서 무심코 옛 전남 도청 쪽으로 걸음을 옮겼다.

무명C의 노래

$e^{i\pi/6}$

옛 전남 도청 본관 앞에는 '5·18 진상 규명'이라는 커다란 전광판이 눈부시게 빛나고 있다. 수위실 앞에 게시판 같은 게 어둠 속에서 서 있다. 가까이 다가가서 확인해 보니 거기에는 미얀마 민주화를 지지하는 피케팅 사진과 글씨가 쓰인 형형색색의 리본들이 부착되어 있었다. 만약 1980년 5월에 광주 시민군이 계엄군의 봉쇄를 뚫었다면, 그리하여 전국적으로 시위와 무장 투쟁이 확산되었다면 당시의 한국도 지금의 미얀마처럼 사실상의 내전 상태로 바뀌었을까? 그리고 미얀마 민중들이 5·18을 전혀 몰랐더라면, 그들은 그렇게 완강하게 저항하지 않고 지구 도처에 있는 여타 민중들처럼 군부 독재자에게 꼼짝없이 짓밟히며 살아가고 있을까? 지금 미얀마의 민중에게 광주는 연대의 정신 외에 어떤 의미를 지니고 있을까?

옛 전남 도청 건물들이 어둠 속에 서 있다. 충장로의 상가나 지나가는 차량들의 불빛을 받아서 건물들의 윤곽이 뚜렷하게 보인다. 별관 건물 위에는 진상 규명을 요구하는 네온 간판이 환하다. 그 왼편에 내리막길 입구에도 '아시아 문화전당'이라는 아치형의 네온 간판이 밝게 빛나고 있다. 낡고 을씨년스러운 옛 전남도청의 건물들이 지상에 군림한 채 각종 기하학적 미를 자랑하는 현대의 아시아 문화전당을 지하로 밀어 넣고 있는 모양새다.

1980년 5월 계엄군은 전남도청을 적군의 아지트처럼 여기고 군사작전을 전개해 이곳을 반드시 점령해야 한다고 결정했다. 그런 의도에 맞서 상당수 시민군들은 이곳을 사수해야 한다고 결의했다. 여기서 산화한 자의 부모 형제, 살아남은　이들, 심지어 여기서 살상을 하고 이곳을 점령했던 자들마저 현재 이 산하에서 함께 들숨날숨을 교환하며 공존한다. 그런 의미에서 이곳은 40년이 훌쩍 지났지만 여전히 현재 진행형인 역사의 현장이다. 최근 옛 전남도청 복원 추진위원회는 비파괴 검사를 통해서 건물 안팎에서 탄흔들을 찾아내 분석하고 그 결과를 공개했다. 또 추진위원회는 80년 5월 당시 광주에 있던 외국 기자들을 찾아내 그들이 5월 27일 오전에 찍은 사진을 전시했다. 그 사진들은 이 건물 안팎에서 산화한 열사들의 모습을 적나라하게 담고 있어서 그 유가족과 관람객들에게 상당한 충격을 안겨 주었다. 아까 술집에서 야학 강학인 A마저 계엄군에게 사살된 자기 선배의 모습을 처음 봤다고 했다.

　본관 앞에서 몇 걸음 옮기니 '금남지하도상가12'라고 써진 네온 간판이 지하도 입구에 걸려 있다. 그 입구에서 어둑한 인도를 사이에 두고 맞은편에는 옛 도청 민원실이 서 있다. 자동차 헤드라이트 불빛이 그 건물을 비치니 '5·18민주평화기념관 3관'이라는 현판의 글씨가 어렴풋이 보인다. 정문 출입구 양쪽에 볼록 튀어 나온 두 개의 사각 구조물이 있다. 오른쪽 구조물 앞에 뭐가 보인다. 무엇이 꿈틀거리고 있다! 가까이 가 보니 누군가가 거기에서 지하로 통하는 샛문을 붙들고 있다. 모자를 깊게 눌러쓰고 두꺼운 옷을 여러 벌 겹쳐 입은 걸로 보아 노숙자가 분명하다. 내가 알기론 평소 이 근처의 노숙자들의 수가 몇 명 되지 않는다. 그나마 그들은 사람 왕래가 많은 지하도나 충장로 입구 또는 광장 귀퉁이에 머물곤 했다. 내가 그에게 다가서자 그 노숙자가 숙였던

　　　　　　　　　　　　　　　　무명C의 노래

고개를 들고 나를 응시했다. 여기저기서 들어오는 불빛에 비친 그의 눈빛에는 날카로운 살기 같은 게 느껴졌다.

가슴이 뜨끔했지만 이미 늦었다. 그가 내게 와락 달려든 것이다. 그는 다짜고짜 내 멱살을 잡고 외쳤다. 굉장한 악력이다! 숨이 턱 막힌다. 강 중사, 이 노옴! 니가 언젠가 여기 나타날 줄 알았다. 캑캑, 나는…… 강 중사가 아니요! 허헛, 이놈이 거짓말을 하는구먼. 난 네놈이 여기서 저지른 잔인한 행동을 다 알고 있다! 이것, 이 손 좀 놓고 얘기하시오, 캑캑. 네 놈은 몽둥이든, 대검이든, 군홧발이든, 총이든 가리지 않고 시민들을 대상으로 망나니짓을 해댔지. 내가 네놈들과 함께 살육질에 동참하지 않는다고 네놈은 나를 공개적으로 모욕했어. 그래서……그래서, 걔가 죽었지 않은가? 내 동생처럼 새파랗게 어린 애기! 나는 순간, 어떤 상황이 떠올랐다. 그러나 이것은 까마득한 상황이다. 1980년 5월 이곳의 상황일 것이다. 아마 이 친구는 계엄군으로 이곳에 진입한 공수부대원 출신일 것이다. 그가 내 멱살을 다시 조였다. 다시 숨이 막혀왔다. 캑캑, 나는 육군 병장 출신이요, 그땐 난 여기 광주에도 없었소! 형씨, 제발 이것 좀 놓아주고 얘기합시다, 캑캑. 흥, 잘도 둘러대는군, 그 잘난 체하며 잔인한 짓을 밥 먹듯이 일삼았던 강 중사! 네 손에 죽은 사람들 숫자를 세며 자랑할 때는 언제고? 나는 멱살을 움켜쥐고 있는 그의 손아귀에서 벗어나려고 안간힘을 썼다. 어쨌든 나는 아니오! 강 중사인지 뭔지 내 알 바 아니오. 어쨌든 그건 40년이나 지난 얘기니……. 40년이라고! 살인을 하도 많이 저질러서 이젠 정신이 어떻게 된 거 아니냐? 어떻게 1년도 안 된 일을 그렇게 말할 수 있단 말인가, 이 뻔뻔한 놈아!

그는 한 손으로는 내 멱살을 움켜 쥔 채 다른 손으로는 샛문의 손잡이를 잡고 비틀고 있었다.

그 문은 열리지 않을 것이다. 며칠 전에 나는 복원추진위원회의 탄흔 조사 발표가 별관에서 있고 난 뒤, 여기를 둘러보았던 적이 있다. 나는 혹시나 이 건물 안으로 들어갈 수 있을까, 하고 도로 쪽으로 난 출입문들의 손잡이를 돌려 봤었지만 문들은 굳게 잠겨 있었다. 나는 다른 출입구를 찾아보려고 건물의 여기저기를 기웃거리다가 이 구조물 옆에 달린 문을 찾았다. 거기엔 분명히 손잡이 옆에 자물쇠까지 채워져 있었다. 내가 주위를 둘러보니 그때 마침 공무원증 같은 명찰을 찬 사람들이 본관 쪽으로 난 출입문에 다가서는 게 보였다. 그들이 출입문에 부착된 전자 개폐 장치에 자신들의 명찰을 갖다 대고 안으로 들어갔다. 이 건물 전체에 경비회사의 보안 시스템을 작동시키고 있는 듯 보였다.

이노옴, 강 중사! 네놈은 이 사람들에게 무릎을 꿇고 사죄해야 한다! 그가 이렇게 외치면서 문손잡이 부위를 잡고 돌리자 어찌된 일인지 그 샛문이 열렸다. 순식간에 나는 그의 억센 힘에 의해 열린 문 안으로 내동댕이쳐졌다. 얼떨결에 당한 나는, 안에서 문을 밀었다. 하지만 문은 꼼짝도 하지 않았다. 나는 소리치면서 문을 발로 마구 찼다. 문은 요지부동이었다. 아마 내게 들리지는 않지만 지금쯤 보안경비회사의 경보가 울렸을 것이다. 이런 미친 놈 때문에!

나는 다시 수차례에 걸쳐 문을 열려고 안간힘을 썼으나 문은 요지부동이었다. 그놈이 밖에서 완강하게 문에 버티고 있는 것 같았다. 나는 소리를 지르며 연신 문을 발로 걸어찼다. 밖에서는 아무런 인기척이 없었다. 사방이 캄캄하다. 결국 나는 기진맥진하여 주저앉았다. 잠시 쪼그려 앉아 숨을 고르고 난 뒤, 무릎에 고개를 쑤셔 박으며 생각했다. 조금 있으면 보안 경비업체 직원이 올 것이다. 내 신상과 관련된 몇 가지를 추궁당해 망신당하겠지만 어쩔 수 없는 일이었다. 나는 핸드폰을 꺼냈다. 배터리가 다 되었는지 먹통이다.

무명C의 노래

나는 주저앉은 채 저 노숙자의 전후 사정을 추리해 봤다. 계엄군이었던 그는 상관의 명령에 의해 시민을 향해 사격을 감행했다. 그가 사망하게 만든 시민을 확인하니 어린 친구였다. 그는 정신적인 충격을 받고 그 길로 제대했거나 탈영했을 것이다……. 그런데 그 이야기 비슷한 내용이 몇 년 전에 개봉된 영화에도 나오지 않았던가? 저 친구는 왜 40년도 더 지난 일을 '1년도 안 된' 일이라고 말하는 걸까? 게다가 나를 보고 강 중사라고 하지 않은가? 내가 전방에 있는 포병 부대에 근무할 때 거기서 만난 가장 악랄하고 잔인한 하사관 중의 하나도 강 중사였는데 하필 저 친구가 근무한 공수부대에도 그런 성향의 강씨 성을 가진 중사가 있었다는 말인가?

고개를 숙인 채 이런 의문들을 떠올리고 있다가 갑자기 선뜩한 느낌이 들어 고개를 들었다. 어둠 속에서 빛이 보였다. 노란 색의 광원에 붉은 색이 감싼 불꽃이 흔들리고 있었고 가장자리에는 푸른색이 산란하고 있었다. 그 빛 덩어리가 움직인다. 나는, 반딧불이 애벌레일까, 라고 생각하며 광원에 가까이 다가갔다. 자세히 보니 그 광원은 작은 벌레(worm)의 꼬리였다. 벌레가 움직이기 시작한다. 벌레는 조금씩 기어가다가 층계에서 굴러 떨어지다시피 하며 아래로, 아래로 내려갔다, 나도 그 벌레를 조심스럽게 따라 계단을 내려갔다. 얼마나 내려갔을까? 그 발광체가 갑자기 웬 조그마한 구멍(hole) 속으로 쏙 들어가 버린다. 그 구멍에서 희미한 불빛이 새어나오는데 그 발광체의 빛보다 붉었다. 나는 그 구멍에 조심스럽게 손가락을 넣어 보았다. 벌레 같은 게 만져지지 않는다. 구멍에 눈을 갖다 대었다. 백열전구 같은 게 보인다. 내가 그것을 잠시 보고 있노라니 강력한 힘이 나를 끌어당겼다.

갇힌 젊음

그리고…… 어느 틈에 문이 열렸는지 굉장한 광경이 내 눈 앞에 펼쳐졌다! 많은 사람들이 웅성거리고 있다. 그들은 삼삼오오 모여 있거나 움직이고 있었다. 자정이 넘은 이 늦은 시각에 웬 사람들이!

그런데 이상했다. 거기 있는 남자들은 내가 대학교 다닐 때 유행했던 장발 스타일의 머리를 하고 있었다. 그들의 우스꽝스러운 옷차림새도 그때를 연상하게 했다. 그들 중 상당수는 카빈 총을 메고 있었고 어떤 이들은 이마에 머리띠를 두르거나 전투경찰의 방석모를 쓰고 있는가 하면 다른 어떤 이는 손수건이나 스카프로 복면을 하고 있었다. 이상하게 그들의 동작은 매우 느렸고. 그들의 말소리는 입모양과 일치하지 않은 듯 했다. 낯익은 얼굴들도 보였지만 그게 단지 내 느낌이라는 생각이 들었다.

일부 사람들은 팔, 다리, 복부 등 신체의 특정 부분에서 유난히 밝은 빛을 발산하고 있었다. 심지어 어떤 이는 머리 뒤나 위에 후광 또는 혼불 같은 걸 달고 돌아다녔다. 나는, 혹시 여기서 5·18 민중항쟁을 소재로 한 영화를 찍는 걸까, 라고 생각하며 그들에게 가까이 다가갔다. 자세히 보니 신체 부위에 나는 빛이나 후광은 조명 기구를 사용한 게 아니라 빛의 산란 현상 같은 것이었다. 주변엔 영화 촬영장에서 쉽게 볼 수 있는 스태프들도 없었고 촬영을 위한 카메라, 조명 기구, 마이크도 보이지 않았다.

탕, 하는 소리와 함께 금속성의 메아리가 들린다. 일시에 눈에 보이는 모든 광경이 마치 렌즈를 통해서 보는 것처럼 휘어졌다. 그리고 건물 안 사람들과 사물들 사이로 수많은 빛과 입자들의 파동이 퍼져 나가는 게 보였다. 그때 어떤 문이 열렸고 거기서 빛다발이 쏟아졌다. 팔을 붙잡힌 채 분을 삭이지 못하는 낯익은 모습이 보였다. 아아, 거대한 덩치

　　　　　　　　　　　　　　　무명C의 노래

와 구레나룻으로 보아 그는 영락없는 D였다! 그는 나와 대학교는 물론 초중고를 함께 다녔기 때문에 그의 얼굴을 내가 몰라볼 리 없다. D는 5·18 때 수습 대책위원으로 활동했다고 했다. D와 그 일행의 격한 대화 가 이 세상 소리가 아닌 듯 매우 느리고 기이하게 들렸다.

"안돼,이대로둘수는없어!"

"아까그친구총쏘는거안봤어요?우리까지죽일기세라니까요!"

"그래도안돼,여기있다간모두죽는단말이야.아까낮에회수된총을싣고상무대 갔을때안봤어?이제협상이결렬되었으니그놈들은막강한군대를이끌고이리 로쳐들어올거라고!여기로진격하면서그놈들은지난번도청에서물러날때처 럼또다시광주시민들을향해무차별적으로총을쏘아댈거고.그군인들은,임진 왜란때왜구들이조선시대의성을함락시켰던것처럼도청을포위해서무자비한 작전을전개할게틀림없어."

나는 심각하게 언쟁을 하고 있는 둘에게 다가가서 D의 이름을 불렀다. 그는 내 쪽을 잠시 바라보더니 마치 아무 것도 보거나 듣지 못한 것처 럼 무관심한 표정으로 고개를 돌려 버렸다. 나는 그 앞에 얼굴을 바짝 들이밀고 말했다.

"나야나!"

그는 나를 똑바로 바라보고 나서 고개를 세차게 흔들며 소리쳤다.

"조용히해!아직은늦지않았단말이야!"

그러고 나서 그는 더 이상 나를 거들떠보지도 않았다. 나는 그의 팔을 붙잡았다. 그러나 이게 어찌된 일인가! 그가 붙잡히지 않았다. 그는 팔 을 약간 긁적거렸을 뿐이다. 그가 긁적인 살갗에서 작은 스파크가 튀었 고 파편처럼 작은 먼지가 일어났다. 섬뜩한 느낌이 들었다. 나는 재차 그의 어깨를 두드렸으나 내 손은 허공을 되짚었고 그는 2,3초 지나서야

갇힌 젊음

자신의 어깨를 긁었다. 내가 계속해서 그의 귀에 대고 여러 차례 소리쳤지만 그는 그때마다 고개를 갸웃거리거나 눈을 잠깐 깜박였을 뿐, 나를 전혀 보지 못한 것처럼 반응했다. 나는 내가 꿈을 꾸고 있다는 생각이 들어 내 얼굴과 팔목을 꼬집었다. 분명히 감각이 있었다. 나는 내가 술이 단단히 취했다고 생각했다. 핸드폰을 꺼내서 다시 확인했지만 여전히 먹통이었다. 나는 마지막으로 그의 귀 밑 구레나룻을 잡아당겨 봤다. 그의 구레나룻은 귀밑머리 쪽에 집중적으로 났고 턱 아래에는 거의 숱이 없는 독특한 모양이었다. 터럭 한 올도 잡히지 않았다. 그는 가려운 듯이 내가 만진 터럭을 손가락으로 잠깐 다듬고 말았다. D는 그의 팔을 붙들고 만류하는 일행의 손을 뿌리치면서 사람들을 향해 나아갔다.

둘이 내게서 멀어지고 있는 것을 보고 나서 나는 이상한 기분에 휩싸였다. 이게 꿈속이 아니라면 내가 죽은 혼령이라도 되었단 말인가? 만약 죽었다면 D는 왜 40년 전의 모습인가? 혹시 나는 진작 죽었지만 그것도 모른 채 기나긴 세월 동안 이 세상을 떠돌아다니는 혼령이란 말인가? 아니, 난 수십 년 넘게 분명히 살아서 직장을 가지고 결혼해서 장성한 자식도 있는데, 그런 것이 어떻게 다 거짓일 수 있단 말인가? 분명히 뭔가 잘못 되었다. 나는 내 앞을 스쳐 가는 사람을 향해 손을 내밀어 만져보았다. 그때마다 그들은 내가 만진 부위를 잠깐 만지거나 긁고 나를 지나쳐 버렸다.

D의 선동 때문인지는 모르지만 사람들의 표정과 대화들은 심히 불안정해 보였다. 그들의 입에서 튀어 나온 침방울과 입김들의 파동이 서로 부딪히는 게 보였다. 사람들의 움직임이 물결을 이루면서 출구 쪽을 향

하고 있다. 나는 그 물결을 거슬러 사람들을 거슬러 2층으로 올라갔다. '회의실'이라는 명패가 매달린 사무실이 보였다. 그 앞에는 낯익은 키다리 한 명이 내게 등을 보이고 서 있었다. 그 뒷모습이 낯익었다. 어디서 봤을까……. 키다리는 누군가와 악수를 하고 나서 스카프를 복면처럼 둘러 목 뒤에서 단단히 묶고 난 다음 돌아섰다. 세상에, 그는 A였다! 비록 복면을 썼지만 그는 분명히 A임에 틀림없었다. 훤칠한 키, 큰 키에 걸맞은 기다란 두상, 늘 잠이 덜 깬 듯한 거슴츠레한 눈 등은 영락없이 A의 젊었을 때 모습이다. 나는 그의 이름을 불렀다. 그는 잠시 무심한 눈빛으로 나를 쳐다보고 나서 외면했다. 나는 그의 어깨를 붙들기 위해 손을 내밀었다. 내 손은 허공을 내저었다. A와 악수를 마치고 뒤로 돌아선 이도 어디선가 본 듯했지만 생각이 잘 나지 않는다. 그의 후광이 유난히도 컸다. A는 부리나케 계단을 내려갔다. 강력한 호기심이 나를 이끌었다. 나는 몽유병자처럼 A를 따라갔다. 오늘밤 드디어 그가 밝히지 않은, 40년 전의 행적에 대한 실마리를 찾을 수도 있을 것이다!

A는 나가려는 사람들 속에 섞이어 이미 출입문 쪽에 다가서고 있었다. 문은 A처럼 빠져나가는 사람들로 북적였다. 나는 A만 보고 가다가 무엇인가 내 발에 걸려 하마터면 넘어질 뻔했다. 누가 지하실 입구의 벽에 기댄 채 다리를 펴고 앉아 있었는데 그의 다리에 걸렸던 것 같다. 그는 나를 게슴츠레한 눈으로 잠깐 쳐다보고 나서 마치 아무것도 보지 않은 듯 다시 벽에 기대어 눈을 감았다. 카빈 총 한 자루가 그의 오른쪽 어깨에 기대어 있었다. 그는 전투경찰들의 것으로 보이는 방석모를 쓰고 있었다. 졸음을 이기지 못한 그의 고개가 뒤로 넘어갈 때마다 은빛 십자가 목걸이가 빛났고 총신 곁에 방심하게 놓여 있는 손목에는 염

주가 있었다. 그는 만면에 미소를 띠며 졸고 있었다. 그의 가슴 부위는 빛의 산란 현상이 심해서 마치 그 부분에 백열전구를 단 것 같았다. 나는 그 시민군이, 각종 5·18 자료에 소개된, 지하실 다이너마이트를 지키고 있는 시민군임을 기억해 냈다. 그의 체크무늬 남방 윗주머니에는 웬 쪽지가 반 틈 정도 나온 채 꽂혀 있었다. 나는 그를 보고 있다가 아차, 하고 출입문 쪽을 바라봤다. 다행히 A는 출입문 옆에서 여전히 복면을 쓴 채로 키가 작은 두 명의 여자와 얘기를 하고 있었다. 그녀들은 각각 보따리 하나씩을 들고 있었다.

나는 A와 그들이 얘기하며 서 있는 것을 보고 나서 고개를 돌려, 벽에 기대어 졸고 있는 친구에게 소리쳤다.

"여보세요,여기지킬필요없어요!여기지하에있는다이너마이트는이미모두 뇌관이제거됐다고요."

내 말소리가 들렸는지 그는 잠깐 눈을 떠서 나를 쳐다보았다. 그의 눈 동자는 반쯤 풀려 있었다. 그는 내 말에 대답하듯이 중얼거렸다.

"뭐라고!그게무슨상관이야?어쨌든난여길지켜야해.이게내가광주시민의 명예를위해서할수있는최선의일이거든."

그는 하품을 길게 하고 나서 벽에 기대어 눈을 감아 버렸다. 나는 한 참동안 그를 내려다보고 나서 출입문 쪽으로 고개를 돌렸다. A는 두 여자와 헤어지고 도청을 나가고 있었다. 나는 그를 부랴부랴 쫓아갔다. 도청 건물에서 나왔다.

놀라운 풍광이 내 앞에 펼쳐졌다. 아까의 네온 전광판 따위는 어디론가 사라져버렸다. 사방이 어두운 가운데 여기저기서 새어나온 흐릿한 불빛은, 내가 대학 다닐 때 어쩌다 한 번씩 들른 옛 도청 주변의 밤거리를 그대로 재현해 놓고 있었다. 상무관-경찰 무도관이라 불렀던가?-

창문에는 흐릿한 형광등 불빛이 보였다. 그곳 건물 전체가 안개처럼 보이는 연기에 둘러싸여 있었다. 그 연기 가닥이 나를 휩쌌다. 기이한 냄새가 풍겼다. 아니, 냄새가 난다는 느낌이었을지도 모르겠다. 십 수 년 전에 시골의 어느 초상집에서 맡았던 그 냄새, 영정 앞에 놓인 향로에서 난 분향과 병풍 뒤에서 나오는 시체 썩은 냄새가 섞인 그 냄새였다. 상무관 쪽에서는 신음 소리 같은, 느리고도 낮은 육자배기 가락 같은 통곡도 새어나온다. 나는 고개를 돌렸다. A는 분수대 옆을 지나치고 있었다. 나는 그를 계속 부르며 따라갔다. 내 목소리가 들렸는지 A는 가끔 뒤를 돌아봤다. 그의 시선이 나를 보는 건지 민원실 2층 쪽을 바라보는 것인지 정확히 알 수 없었다. 나는 손을 흔들기도 했다.

"거기서!나와같이가!"

그러나 그는 내게 대답하는 것도 그렇다고 혼자 중얼거리는 것도 아닌 애매한 목소리 톤으로 중얼거렸다.

"안돼!난가야해!아버지께서기다리고계시거든."

그는 도청을 벗어나서 전일빌딩 뒷골목으로 접어들었다가 다시 나왔다. 그가 걷는 속도가 이상하다. 갑자기 빠르게 움직였다가 거의 정지한 것처럼 느릿하게 움직였다. 그의 뒤에서 누가 외친다.

"어디가?"

"저기서아버지가기다리고계셔!"

A가 대답한다. 나는 A에게 행방을 물었던 사람을 바라봤다. 머리띠를 두르고 총을 멘 한 시민군이 옛 모습의 YWCA 건물 앞에서 A와 나를 우두커니 바라본다. 그 건물 창문들은 불이 환히 켜졌는데 꽤 많은 사람들이 움직이는 게 보였다. (나는 수십 년 전 철거된 건물을 보고 있는 것이다!) A는 불현 듯 뭔가 생각난 듯 고개를 세차게 흔들며 바삐 걸어갔다. A는 녹두 서점 길 건너편에서 잠시 멈췄다. 나도 A를 따라

멈췄다. 서점은 문이 잠겨 있는 듯이 보였지만 담 옆의 쪽문을 통해 흐릿한 불이 새어 나왔다. 그 불빛에 가느다란 쇠기둥 하나가 서 있는 게 보인다. 나는 그것이 이상하게 보여서 그쪽으로 다가섰다. 몽당연필 모양의 이정표가 쇠기둥 꼭대기에 달려 있다. 이정표에는 마치 야광페인트로 쓴 것처럼 글씨들이 뚜렷하게 보였다.

'전라남도 도청↓'

이정표의 연필심처럼 생긴 부분은 도청 쪽을 향하고 있었다. A는 잠시 서점 건너편에 서 있다가 다시 고개를 세차게 흔들고 나서 반대편으로 걷기 시작했다. A는 불에 시커멓게 그슬린 문화방송 건물 앞을 지나가다가 도로를 건너 전남여고 쪽으로 갔다. 히말라야시다 두세 그루가 긴 가지들을 학교 밖까지 늘어뜨리고 있었다. A가 여고 정문을 지나니 커다란 나뭇가지 그늘 아래서 누군가가 나왔다. 중절모를 쓰고 있다. A와 중절모는 희미한 불빛을 받아 실루엣을 이룬다.
"형한테말하고나왔어요."
"행여그리로다시돌아갈생각하지마라.집으로가서……."
둘은 대화를 나누며 정문을 지나 2층짜리 건물 쪽으로 다가섰다. 그 건물에는 세일을 알리는 커다란 휘장이 펄럭이고 있었다. 나는 둘의 대화를 잘 듣기 위해 그들에게 바짝 다가서려고 했다. 그때 뒤에서 누군가가 내 이름을 불렀다. 뒤를 돌아다봤다.

무명C의 노래

$$e^{i2\pi/3}$$

"자네, 왜 아직도 여기에 있는가?"

B가 나를 보고 웃고 있다. B는 아까 술자리에서 봤던 현재의 모습 그대로다. 머리는 반쯤 벗겨지고 똥배가 불룩 튀어나왔다. 나는 숨이 멎을 듯했다. 다시 고개를 앞으로 향하니 젊은 A는 온데간데없다. 어디로 갔을까? 그 중절모는 그의 아버지가 맞는 걸까? 방금 전까지 보였던 예전의 거리는 어디로 사라졌는가?

"여태 집에 안 들어가고?"

"으응……."

"새벽이 다 되어 가는데 술이 여전히 고픈가 보군, 허헛."

B는 큰 도로에서 뒷골목 쪽으로 방향을 틀었다. 나는 B에게 내가 방금 겪은 경험을 얘기하려다 입을 다물었다. 취객 취급을 당할 게 뻔했다. 구태여 5월이 아니어도 나는 B를 이 근처 술집들에서 여러 차례 마주친 적 있다. 여기에서 걸어서 5분 이내의 거리에는 현재 옛 가톨릭센터, 전일빌딩, 영흥식당 앞 옛 동구청, 옛 전남 도청 등이 있다. 현재 그 건물들은 5·18 민주화운동 기록관, 5·18 메모리얼 홀 등의 이름으로 불리거나 다른 건물들 안에 5·18 행사 추진 위원회, 전남도청복원추진 위원회 등이 자리하고 있다. 이 거리를 걷다 보면 예술의 거리가 가까워서 그런지 B나 5·18 관련 단체 회원뿐 아니라 민중 예술가나 문화패 등을 드물지 않게 만나 볼 수 있었다.

"자네는 왜 집에 안 들어가고?"

갇힌 젊음

나는 무심코 B를 따라가며 물었다.

"아, 나는 만날 사람이 있어서……. 그럼, 이만."

B가 내게 손을 흔들고 5·18 기록관 쪽으로 방향을 꺾었다. 나는 잠시 멍하니 서서 그의 땅딸막한 몸에 얹힌 뒤통수를 바라봤다. 그의 걸음걸이는 다리에 힘이 빠진 듯 약간 휘청거렸고 벗겨진 머리는 정수리 고개를 넘어가고 있었다. B는 나와 같은 학과를 다녔지만 대학 다닐 때는 서로 안 체하고만 지냈지, 깊은 얘기를 나눠 본 적은 없다. 내가 막연히 독재에 항거할 수단을 머릿속으로 굴리고 있는 동안, 그는 이미 탈춤반을 만들어 활동했다. 자신의 그런 선구자적 운동 이력을 의식해서인지 B는 대학 다닐 때 평범하기 짝이 없던 나를 비롯해서 다른 친구들에 대해서는 무관심한 반응을 보였다. 어쩌면 B는 휴학, 수배, 투옥 등 남다른 고난의 시기를 거쳤기에 자연스럽게 다른 친구들과 서먹한 관계를 가질 수밖에 없었는지도 모르겠다. 아무튼 B는, 안정적인 직장 생활을 가졌던 다른 대학 동기들과는 달리 학원가를 전전했다. B에 대해 이런저런 생각을 하고 있는 와중에 내 발걸음은 어느새 다시 도청 쪽을 향하고 있었다. 나는 방금 전에 겪었던 내 경험을 반신반의하고 있었던 것이다.

'5·18 진상 규명'이라고 써진 전광판은 여전히 눈부시게 빛나고 있지만, 옛 도청의 건물들은 아까보다는 더 어두운 가운데 서 있다. 오가는 차량들의 수가 줄어들었고 인근 상가의 불빛이 많이 꺼졌기 때문일 것이다. 나는 민원실이 있던 건물로 갔다. 이럴 수가! 그 건물 모퉁이 샛문에 여전히 누군가가 기대어 앉아 있다. 아까 그 친구가 틀림없다. 그는 여전히 벙거지 모자를 깊게 눌러 쓰고 고개를 숙이고 있었다. 움직이지 않고 있기에 나는 그가 잠자고 있는가를 확인하려고 조심스럽게 다가갔다.

순간, 그가 고개를 들었다. 눌러쓴 모자 아래서 그의 매서운 눈빛이 다시 번뜩였다. 그는 벌떡 일어나 또다시 내게 와락 달려들었다. 야, 이 중령! 그 잘난 대대장이 여기에 나타나다니, 흐흐, 당신이 저지른 악행을 확인하려고 왔나? 나는 또 그에게 멱살을 잡히고 말았다. 그의 손아귀 힘은 여전했다. 나는 캑캑거렸다. 그가 외쳤다. 네 놈이 전라도 놈들은 모두 빨갱이라고 외쳐댔잖아! 캑캑, 이것 좀 놓으시오! 아까부터 나를 두고……. 흥, 발뺌하지 마! 네놈이, 여기는 빨갱이 천지다, 그곳을 통과하거나 움직이는 것은 모두 쏘아 죽여라, 하지 않았나? 저 상무관에 놓인 시체들은 대개 너 같은 장교 놈들이 시켜서 만든 것이야! 이보오, 아까도 말했지만 나는 육군 병장 출신이요, 캑캑! 그때 광주에 있지도 않았고……. 허어, 그래도 이놈이! 입만 열면 자신이 육사 출신이라며 스스로 내세웠던 그 잘난 자긍심을 어디다 팽개쳤나? 이제는 감쪽같이 경상도 사투리까지 감추고! 진급과 출세에 눈이 어두운 너 같은 놈의 말을 듣고 우리가 저질렀던 일을 생각하면……. 가서 무릎 꿇고 그들에게 사죄해라!

그는 아까처럼 나를 민원실 샛문으로 집어넣고 문을 닫았다. 아니, 이놈 때문에 이거 오늘 밤에! 나는 이렇게 외치며 잽싸게 뒤돌아서서 닫힌 샛문을 열려고 했으나 문은 역시 꿈쩍도 하지 않았다. 나는 아까처럼 몇 차례 문을 열려고 시도하다가 어떤 생각이 퍼뜩 들어 그만두었다. 다시 숨이 막히는 긴장감이 나를 휩쌌다. 칠흑같이 어둡다. 나는 쪼그려 앉은 채 눈을 감았다. 한참 그렇게 있다가 혹시나 하고 눈을 떴다. 빛이 보인다! 아까 그 벌레. 그 발광체가 아래로 움직이기 시작한다. 나는 또 벌레를 따라 조심스럽게 계단을 내려갔다. 이윽고 벌레가 구멍 속으로 사라지고 그 구멍을 통해 붉은 색의 빛이 새어나온다. 그 구멍을 통해 안을 쳐다보니 역시 백열전구 같은 게 보인다. 그 순간 언제 문이 열렸는지 나는 그 안에 들어가 있었다.

아까와는 조금은 달랐지만 80년대의 사람들이 웅성거리고 있는 광경은 대동소이했다. 신체의 여기저기에 빛이 산란되고 있는 사람들도 여전했다. 출입구 쪽으로 사람들이 몰려가고 있다. 거기에 키가 큰, 20대의 복면 쓴 얼굴이 눈에 띄었다. A였다. 어디선가 빨리 나가야 한다고 외치는 D와 그 일행의 목소리가 들린다. 아까 본 두 명의 여자는 보따리를 들고 2층으로 올라가고 있었다. 나는 밖으로 나가는 A를 뒤쫓았다. 이번에도 또 지하실 입구를 지키고 있는, 방석모를 쓴 친구의 발에 걸려 넘어질 뻔했다. 그 친구는 아까처럼 고개를 잠깐 들어 눈을 떴다가 다시 행복한 표정을 지으며 졸음에 떨어졌다. 도청 밖으로 나오니 불 켜진 상무관 쪽에서는 여전히 묵직하고 이상한 느낌의 향냄새가 났고, 이 세상 소리가 아닌 듯한 긴 신음소리가 낮은 가락으로 흘러나왔다. 나는 A를 쫓아가면서 아까처럼 그를 불러대기 시작했다. 그가 뒤를 돌아볼 때마다 여전히 그의 시선이 향한 곳이 어디인지 알 수 없었다. A는 아까처럼 전일빌딩 뒤로 갔다가 YWCA 건물 앞에서 누가 불렀으나 아버지를 만나러 간다고 대답했다. A는 녹두서점 길 건너편에서 고개를 세차게 흔들고 불탄 문화방송 건물 쪽으로 갔다. 나는 무심코 서점 앞 쇠기둥에 세워진 이정표 내용을 다시 확인하고 나서 A를 쫓았다. A는 전남여고 쪽으로 건너갔다. 나무 그늘 아래서 중절모와 만났다.
"형한테말하고나왔어요."
"다시돌아갈생각하지마라.집으로가서⋯⋯."
A가 마스크를 벗으며 그에게 묻는다. A의 얼굴이 그늘에 가려 잘 보이지 않는다.

무명C의 노래

"아버지는요?"

중절모가 대답한다.

"너도너희아버지께서못올라오실줄알았지않았냐?글쎄아까전화통화에서 내가광주로들어오는길목이공수부대에의해다차단되었다고해도,너희아버 지께서는부득부득올라오신다고하시더라.당신은6.25때빨치산부역으로끌 려다녔던경험이있어서그때의샛길루트를통하면,자기는광주에들어올수있 다고우기시는거야.그래서내가너를책임지고데리고오겠다며너희아버지를 못올라오게했다.너희어머니도전화로,집안의기둥인네만보고산다고울먹이 시더라.가자,너희고모가밥상차려놓고널기다리고있다.만약내가너를데려오 지못하면당장내일이라도너희아버지가산을타고서라도광주로올라올지도모 른다.그렇게되면네아버지가살아남으리라는것을보장못하겠지……."

나는 두 사람의 대화를 듣고 나서야 A의 집이, 6.25를 전후하여 빨치 산과 군경의 전투가 치열했던 장흥군 유치면이라는 사실을 기억해냈다. 가난한 농사꾼 부모를 둔 A에겐 동생들도 많았다. 집안의 장남인 A만 대학교에 진학해야 했다. 그래선지 A도 나처럼 양동시장에서 산, 염색 한 군복 바지와 티셔츠와 허름한 점퍼 따위로 일 년 내내 대학 캠퍼스 를 누비고 다녔다. 우리는 어엿한 직장인을 아버지로 둔, B와 C처럼 멋 진 청바지를 입을 수도 없었다.

둘은 아까처럼 전남여고 길을 벗어나 상점 건물을 향해 걸었다. 그 건 물에 걸린 휘장에는 '민코프스키 속옷 제품 50% 세일'이라고 쓰여 있 었다. 민코프스키란 상표 이름은 어디선가 들어 본 것 같다. 둘이 그 상점으로 들어간다. 나도 그들을 따라가서 유리문을 밀었다. 문이 열리 지 않는다. 나는 문을 두드리면서 열어 달라고 소리를 질렀다. 하지만 안에서는 아무런 반응이 없다. 안에 뭐가 보인다. 어둠 속에서 두 개의 눈동자가 나를 노려보고 있다. 고양이다! 검은 색의 고양이가 상자 안에 웅크리고 있다. 그 상점으로 들어가는 다른 샛문이 있나 하고 여기저기 둘러보았지만 허사였다.

몇 분 동안 그들의 행방을 찾을 수 없자 나는 상점을 뒤로 하고 중앙로 쪽으로 걸어갔다. 거기서 인기척이 느껴졌기 때문이다. 멀리 보이는 게 사람들 같지만 확실하지 않다. 그것들은 마치 가로등에 달려드는 나방처럼 아무렇게나 움직이다가 중앙로와 금남로가 만나는 교차로를 가로지르고 있었다. 나는 걸음을 빨리했다. 나는 교차로 건너편에서 쇠기둥에 이마를 부딪치고 말았다. 이마를 만지며 고개를 들어보니 여기에도 녹두서점 앞에서 본 것처럼 기둥 꼭대기에 몽당연필 모양의 이정표가 달려 있었다. 이것도 역시 야광 페인트로 쓰였는지 글씨가 확실하게 보인다.

'전라남도 도청 →'
이정표는 도청을 향하고 있었다. 이제야 두 사람이 확실하게 보인다. 그런데 그들은 A와 중절모가 아니었다. 앞에서 바삐 걷는 친구의 뒷모습이 어쩐지 낯이 익다. B다! 우람한 체구에 장발까지 길게 늘인 젊은 B다. 옆에 바짝 마른 친구도 캠퍼스에서 자주 본 것 같다. 그래, 그 친구다. 우린 그 둘을 두고 '뚱보와 홀쭉이'라고 놀리곤 했다. 홀쭉이도 탈춤반 회원이었다. 둘 다 어깨에 당시 유행하던 '재수생 가방'을 메고 있다.
그들이 숨을 헐떡이며 말을 내뱉는다.
"야아, 그만 달리자, 숨이 차다."
"아까 분명히 총소리였지?"

"맞아,계엄군의진격속도가매우빨라.아까내가전남대학교병원쪽으로가려
고남동성당앞을지나가는데멀리서그놈들이오고있는게보였어.그래서나는
도청을들르지않고죽으라고YWCA로달려왔던거야.그런데그놈들이벌써거
기까지쫓아온……."

홀쭉이의 말을 끊고 B가 말한다.

"그놈들이다똑같은놈들이아니야.다른부대가제각기학동과교도소에서진
격한거지.그놈들은전남도청을적군의본부로여기고사방에서서서히조여오
고있어.그리고그진입로에있는주요거점을차례차례격파하며진군하고있는
거야.그놈들은시민군이어디있는지손바닥보듯이알고있는게확실해.젠장."

둘이 잠시 침묵하며 걷는다. B가 걸으면서 무언가 생각난 듯 다시 말
을 꺼낸다.

"아까괜한말을한것같아."

"무슨말?"

"자료갖다놓고다시온단말."

"신경쓰지마,우리가뭐라해도다른이들은우리가도망친다고여겼을거야.그
동안우린나름대로의역할을잘수행했잖아?"

"그래도뭔가찝찝해.총을들고도청사수까지결의했는데이게뭔꼴이람!"

"야,일단살고봐야지,앞으로의우리역할을생각해서라도."

"이젠모든게끝난것같아.전두환일당은광주시를적들의소굴로,광주시민들
을적군으로간주하고군사작전을펼치고있어.천인공노할놈들이야!"

둘은 대화를 나누면서 빠르게 충장 파출소를 지나 불에 그슬린 세무서
쪽으로 갔다. 그들을 바삐 쫓으면서 여러 차례 그들을 불렀지만 그때마
다 둘 중 하나는 뒤를 힐끔 보았지만 나를 무시한 채 걸음을 빨리 했
다. 그때 멀리서 스피커 소리가 도시의 밤하늘에 메아리쳤다.

갇힌 젊음

"시민여러분, 지금계엄군이쳐들어오고있습니다. 사랑하는우리형제, 우리자매들이계엄군의총칼에숨져가고있습니다. 우리는최후까지싸울것입니다. 우리를잊지말아주십시오. 시민여러분……."

밤하늘에 애절한 목소리가 가슴을 후벼든다. B가 홀쭉이에게 말한다.

"아까YWCA에있을때내가가두방송원고라고써서누군가에게줬는데지금방송한내용은그것과달라."

"그럴거야. 저목소리는준비된원고를읽는게아니야. 저건비명이고절규야! 아까우리가뒷담을넘을때우릴따라오지않던여자들이꽤있었어. 여자들이라고총알이피해가지는않을텐데, 용맹한여자들이야."

"그러게, 우리남자들은펜과총을들어저항했지만, 그여자들은연민의감정으로무장한채계엄군에게맞서고있는것같아."

B가 말을 끝내자마자 헬기가 프로펠러 소리를 요란하게 내며 도시의 곳곳을 서치라이트로 비추기 시작한다. 멀리서 육중한 기계음이 들린다. 둘은 건물들에 바짝 붙어 조심조심 앞으로 걸어가더니 갑자기 외친다.

"계엄군이다!"

"농성동에서출발한군대야!"

둘은 잽싸게 불탄 세무서 건물이 보이는 곳에서 왼쪽으로 방향을 꺾었다. 나는 잠시 멈춰 서서 전방을 주시했지만 계엄군이나 장갑차 따위는 보이지 않았다. 부랴부랴 나도 그들이 사라진 골목으로 접어들었다. 그러나 그들이 온데간데없었다. 이상했다. 나와 그들 사이의 간격으로 봤을 때 그들 모습이 보여야 했다. 마치 하수구에 빗물이 사라져 버리듯 그들은 어디론가 빨려 들어가 버렸다. 좁은 골목에는 건물의 담이 길게 연결되어 있었는데 그곳 초입에 구두닦이들이 사용하는 작은 컨테이너 하나와 바로 그 옆에는 건축 공사장의 비계용으로 보이는 판자나 각목

　　　　　　　　　　　　　　무명C의 노래

따위로 얼기설기 엮은, 조그마한 술집 하나만 있었다.

구두닦이 컨테이너 출입문 유리창에는 '구두닦이 센터', '불광 전문' 등의 글씨가 간판처럼 쓰여 있었다. 출입문은 자물쇠로 굳게 잠겨 있었다. 내가 그 옆에 있는 판잣집으로 가려는데 컨테이너 벽에 페인트로 마구 휘갈긴 글씨들이 눈에 띄었다.

'슈산보이, 뢰우, 딩동댕, 거인'

각 단어의 첫 글자가 다른 색깔의 페인트로 쓰여 있지만 의미를 찾기 힘든 낙서처럼 보인다. 조악하게 지은 술집에는 버젓이 양철로 된 간판이 걸려 있었다.

'오메가(ω) 주점'

나는 술집 이름이 이상하다고 생각하며 그 문을 두드렸다. 그러자 누가 그 안에서 **빠르게** 튀어나오며 나와 부딪혔다. 내가 막 고개를 돌려 방금 튀쳐나온 이를 확인하려는데 또 다시 누가 거기서 튀어나와 나와 부딪혔다. 잠깐 동안 내 눈에 최근의 현대식 건물들이 늘어선 거리가 주마등처럼 스쳐지나갔다. 두 번의 충격으로 나는 중심을 잃은 채 휘청거렸다. 그러자 누군가가 내 어깨를 강하게 잡고 나를 돌려 세웠다.

무명C의 노래

$$e^{5/6\pi i}$$

"자네, 왜 여기서 휘청거리고 있는가?"

C였다. 60대의 그가 내 어깨에서 손을 떼며 웃고 있다. 귀밑머리의 밑동이 하얗게 변해 있어서 염색한 머리 흔적을 보여주고 있었다. C는 코 중간까지 내려온 안경 너머로 넌지시 나를 쳐다보고 있다. 어떤 생각이 퍼뜩 떠올랐지만 이미 늦었다. 옛 거리는 이미 사라졌다. C가 뿔테 안경을 콧등 위에서 위로 밀어 올리며 내게 말했다.

"여태껏 집에도 안 들어가고?"

"아니, 저 ……."

"이제 택시도 잡기 힘들 텐데."

"나야 그렇다 쳐도 자넨 왜 여태……."

"아, 토론이 있었어."

"술들 취한 채로?"

"그런 셈이지. 하핫. 자네도 아까 들었을 텐데. 최근 특별법이 제정되고 나서 '5월 단체'들이 정부 지원을 공식으로 지원받는 공법단체로 전환하고 있잖아? 이 과정에서 5·18 단체들끼리 이런저런 갈등도 빚어지고 있어서 그 해소 방안에 대해 난상토론이 있었어. 또 5·18 관련 추모 사업과 행사가 수십 년 동안 그 인물에 그 행사, 라는 주위의 따가운 평가에 대해서도 논쟁이 있었어. 모두들 술이 얼큰하게 되어서였는지 토론은 제대로 안 되고 악만 썼던 자리였던 것 같아. 간신히 거기서 나왔는데 머릿속이 하도 복잡해 술도 깰 겸해서 집까지 걸어가려고. 그런데 자네는 왜 여기서 휘청거리고 있었지, 단단히 술이 취했는가 보이. 오늘은 너무 늦었으니 다음에 보세."

갇힌 젊음

이런 걸 두고 귀신에 홀렸다고 해야 하는가? 오늘 밤이 도대체 어떻게 돌아가는 것인가? 내가 꿈을 꾸고 있는 것일까? 술에 취해 제정신이 아니란 말인가? 타박타박 팔자걸음으로 걸어가는 C의 모습이 안 보일 때까지 서 있다가 나는 혹시나, 하고 다시 도청 쪽을 향했다. 아까 두 번에 걸쳐 내가 본 장면은 80년 5월 26일 밤이나 다음날 새벽이 분명했다. 내가 보고 싶은 장면이 환각으로 나타났던 것일까? 조금은 이상했지만 어쨌든 그들은 내 행동에 반응을 보이지 않았던가?

옛 전남도청 광장 주변이 더욱 캄캄해졌다. 다른 전등이나 네온은 꺼졌고 별관 위에 있는 '5·18 진상규명'이라고 써진 네온 글씨만 환하게 빛나고 있다. 민원실 쪽 샛문에는 여전히 그 노숙자 친구가 쭈그리고 앉아 있었다.

혹시나 하고 내가 그에게 다가가니 역시 그는 나를 향해 번개처럼 달려들었다. 이번엔 나를 여단장이라고 불렀다. 최세창씨, 당신 때문에 우리는 살인마 전두환의 주구가 되어 무고한 살상을 저질렀어! 당신의 출세욕과 사리사욕 때문에 우린 명예로운 군인이 되질 못한 거야. 무고한 시민을 죽인 대가로 두둑한 돈과 함께 휴가를 받았지만 이 피 묻은 더러운 손을 가지고 우리가 어디로 간단 말인가. 당신이 우리를 이리 이끌었으니 책임지시오! 나는 여단장이 아니오! 내가 이렇게 외치자, 그는 내 멱살 잡은 손에 더욱 힘을 주며 외쳤다. 여단장이 아니라고? 오라, 이제 보니 네놈은 사령관 정호용이구먼! 당신들이 깡패처럼 기업들로부터 뜯은 돈으로 호화스런 생활을 하는 동안 우린 여기서 끓는 피의 강물에 던져져 삶아지고 고통으로 몸부림치고 있었어.[6] 이 나쁜 놈! 그는 잠시 말을 멈추더니 내 멱살을 잡은 손을 놓았다. 그러고선 보따리인지

---

6) 신곡(단테), 지옥편 12곡

　　　　　　　　　　　　　　　무명C의 노래

가방인지 모를 짐 더미를 뒤졌다. 거기서 그는 번뜩이는 물체를 끄집어 냈다. 나는 그가 흉기를 꺼내는 걸로 판단하고 흠칫 뒤로 물러섰다. 이 까짓 훈장이 무슨 소용이 있어? 그는 이렇게 말하고 나서 꺼낸 것을 내 게 보라는 듯이 잠깐 들어 올렸다가 사정없이 바닥에 내팽개쳤다. 나 는 안도의 한숨을 내쉬고 그 물건을 확인했다. 그것은 주위의 흐릿한 불빛을 받아 미약하게 빛나고 있었다. 작은 날이 방사형으로 뻗은 훈장 이 분명했다. 나는 고개를 돌려 그를 쳐다보고 입을 열었다. 아까도 말 했지만 나는 그때 광주에 없었어요. 형씨, 그러지 말고 지금이라도 진 상 규명위회에 가서 당신의 행적을 사실대로……. 닥쳐, 이 거짓말쟁이 전두환 같은 놈! 나는 그 말에 화가 치밀어서 나도 그의 멱살을 붙잡으 며 소리 질렀다. 뭐라고? 내가 왜 전두환이냐, 응? 네놈이야말로 그놈 의 하수인이 되어 광주까지 와서 살인을 저지른 계엄군이 아닌가? 그땐 어쩔 수 없었어! 명령을 거부할 수 없어서……. 변명하지 마, 그렇다고 너의 잔인한 행동이 용서되지 않아! 그런데 이상하게 그의 손에서 아까 와 같은 강력한 힘을 느낄 수 없었다. 나는 내친 김에 이번엔 내가 그 를 내동댕이치려고 했다. 그런데 내게 어떤 생각이 불현 듯 떠올랐다. 나는 그의 멱살을 잡았던 손을 슬그머니 놓았다. 그러자 그가 다시 목 소리를 높였다. 당신은 광주 시민들 앞에서 용서를 구해야 해! 계엄군 들의 살상 행위를 당신과 같은 반란군들이 위에서 명령했노라고 이실직 고하라고! 그는 이렇게 외치며 내 예상대로 샛문을 열고 나를 다시 내 동댕이쳤다.

이제 나는 밖으로 나가려고 시도하지 않았다. 사방이 캄캄한 가운데 나는 기다렸다. 그리고 빛을 내는 벌레를 따라 계단을 내려갔고, 그 벌 레가 구멍 속으로 사라지자 나는 오늘 밤에 이미 두 차례나 들어간 그 익숙한 공간으로 또다시 들어갔다. 아마 A는 이미 그 자리에 없을 것이고, 남은 소수의 시민군들은 도청 사수 결의를 다지고 있을지도 모른다.
 그러나 막상 내가 들어가 보니 내 예측과는 전혀 다른 광경이 눈에 들어왔다. 그 안에는 아까 본 것보다 훨씬 많은 사람이 웅성거리고 있었다. 안개 같은 게 자욱했고 몸에 빛의 산란이나 후광 같은 게 있는 사람들도 더 많이 보였다. 로만 컬러를 한 신부와, 성경을 든 양복쟁이 목사와, 승복을 입은 스님도 보였고 카메라와 수첩을 든 기자도 있었다. 내가 여러 차례 봤던 각종 5·18 관련 기록에 의하면, 지금 이 장면은 아까 내가 있던 장면과 시간의 순서가 맞지 않았다. 지금 여기 시각은 아까 두 차례나 내가 경험했던 그 시각보다 분명히 앞서 있었다. 구레나룻을 기른 D와 그 일행이 나타났다. 그들은 대화를 나누더니 어떤 문을 열고 들어갔다. 나도 무심코 그들을 따라 들어가려고 했으나 스카프로 얼굴을 가린 A가 나타나 멈칫했다. A가 회의실 문밖을 지키고 있는 시민군에게 말했다.
"대변인동지는어디있어요?"
"회의하러들어갔습니다."
 A가 회의실로 들어가려고 하자 그 시민군이 제지했다. A는 초조함을 감추지 못하고 문밖을 서성거렸다.

 주위를 둘러보니 동아리 후배 한 명이 멀리서 서성거리는 게 보였다. 그러고 보니 아까 낮의 5·18 행사 전야제 때 마스크를 쓰고 내 앞을 지나치는 사람 중에 유난히 익숙한 얼굴이 두셋 보였는데 이 친구가 그중의 하나였던 것 같다. 나는 79년에 그 친구가 휴가 나와서 내게 한 얘기를 기억하고 있다. 그 후배는 내가 대학 3학년 때 1학년을 마치고 군에 입대했던 친구였다.
 '형, 우리 고향 출신들은 든든한 끗발이 있어서 보안대로 많이 차출됐어요. 거기는 나 같은 사병이 하사관이나 장교를 때려잡을 수 있어요.

보안대 소위면 '스타'들도 후려칠 수 있다니까요, 흐흣. 보안사령관 정
도면 누구를 족칠 수 있냐고요? 육군 참모총장 정도 다루기는 그야말로
껌 놀이겠죠. 막말로 말하면 우리나라에서 너, 간첩이지 하면 끝나는
거 아니요? 끌고 가 족치면 간첩 만들기는 식은 죽 먹기죠. 히히. 군대
생활 편하냐구요? 이렇게 사복 입고 머리까지 길게 기르고 시내를 마음
대로 돌아다니는 게 군대 생활이라고도 할 수 없죠. 형도 입대할 때 내
게 연락 줘요. 내가 친척 아저씨한테 말해서 보안대로 빼 줄게요…….'

그랬던 그가, 장발머리 위에 예비군 모자를 쓰고 평소에 안 쓰던 검은
색의 뿔테 안경까지 걸치고 거기 있었다. 나는 갑자기 어떤 생각이 퍼
뜩 뇌리를 스쳐갔다. 보안대 근무했던 이 친구가 왜 여기에 있는가? 그
는 염탐하러 온 것이다! 나는 그의 얼굴에 바짝 눈을 대고 물었다.

"너, 여기서 뭐하고 있나?"

그는 나를 힐끔 쳐다보더니 소스라치며 중얼거렸다.

"나, 나도 광주시민이요. 나를 의, 의심하지 마시오."

그는 나를 똑바로 보지 않고 주위를 두리번거렸다. 나는 화가 나서 그
의 팔을 붙들고 흔들며 다그치려고 했지만 그가 잡히지 않았다. 나는
다시 외쳤다.

"너, 여기서 지금 뭐하냐구?"

그러나 그 후배는 내 말을 아예 무시하고 마치 내 손을 뿌리치듯이 소
매를 마구 걷어붙였다. 그리고 몸을 돌려 황급히 아래층으로 내려갔다.
그를 쫓아 계단을 내려갔으나 그는 도청을 빠져나가려는 사람들 속에
섞여 버렸다.

최근에 나는 대학 동아리 동기로부터 그 후배의 소식을 들은 적이 있
다. 그는 대학 졸업 후에 회사에 취업하려고 했지만 번번이 좌절됐다고
한다. 그가 지망한 회사들마다 군 보안대 출신이라는 점을 못마땅하게

여겼다는 것이다. 결국 그는, 안정적인 직장에 취업했던 저희 동기들과
달리, 자신의 전공과는 무관한 생활용품 따위를 할부 판매하기 위해 동
아리 선, 후배들을 찾아다니며 아쉬운 소리를 하고 다녔다고 했다,

   그를 놓치고 나서 다시 2층 계단으로 올라오려고 하는데 1층 구석에
꽤 많은 사람이 모여 있는 게 보였다. 로만칼라를 한 신부가 성가집을
펼치고 노래를 선창하니 거기 모인 사람들이 모두 따라 불렀다.
   "불의가세상을덮쳐도……얼마나많은사람이죽어들가는가.어둠에싸인세
상을천주여비추소서."
   가사가 가슴을 저민다. 그러고 보니 그곳에서 조금 떨어진 곳에 사람
들이 삼삼오오 모여 고개를 숙이고 기도하는 모습이 눈에 들어왔다. 목
사처럼 보이는 사람이 성경을 든 채 기도문을 읽고 있고, 그를 둘러싼
이들은 고개를 숙인 채 아버지, 아버지 하고 외쳤다. 노래를 부르거나
기도하는 사람들 중에는 흐릿한 후광이 있거나 몸의 여기저기에 빛의
산란 현상이 있는 이들이 여럿 보였다. 하지만 로만 컬러의 신부와 넥
타이 차림의 목사의 신체에는 빛의 산란이나 후광 현상이 전혀 보이지
않았다.
   그들을 유심히 보고 있다가 2층에 올라오니 어디선가 중얼거리는 소리
가 들렸다. 소리가 나는 쪽은 회의실 맞은 편 기둥 구석이었다. 대학생
으로 보이는 한 친구가 가부좌를 틀고 앉아서 낮게 무엇인가를 읊조리
고 있었다.
   "아제아제바라아제바라승아제모지사바하……."
   그는 반야심경을 읊조리고 있었는데 그 염불 소리가 마치 그의 유언처
럼 들렸다. 그 젊은 친구의 이마와 배꼽 부분에 환한 빛이 있었다. 마
치 연꽃 위에 앉아 있는 부처님의 형상이 연상됐다. 내가 가까이 다가
가서 보니 그는, 아까 전야제가 열리기 전 도청 앞 광장에서 열린 추모

제의 주인공이 분명했다. 여러 스님들이 참석한 그 추모제의 무대에는 그의 대형 초상화가 걸려 있었다.

그때 갑자기 총소리가 들렸다, 고함도 들린다. 나는 소리가 나는 그쪽으로 서둘러 갔다. 그 안의 광경이 볼록렌즈를 통해 보인 것처럼 왜곡되어 보였다. 어디선가 문이 열리고 D와 그 일행이 쫓겨 나오다시피 하며 나왔다. 나는 아까처럼 D를 부르고 만졌지만 그는 여전히 간단한 반응만 나타낸 채 나를 무시했다. D와 그 일행은 아까와 똑같은 행동과 대화를 되풀이했다. 나는 D의 모습을 찬찬히 보면서 10여 년 전 고향에서 우연히 만나서 그가 내게 한 말을 생각해 냈다.

'나는 지금 광주 시민들에게 배신자처럼 낙인 찍혀 있지만 80년 5월에 내가 도청에서 사태를 수습하려고 한 행동에 대해 후회하지 않아. 내가 나서지 않으면 참으로 많은 시민들이 죽었을 거야. 계엄군들이 광주시를 적에 의해 점령된 도시로 간주하고 막강한 화력과 군사력을 대비시켜 놓고 무자비한 점령 작전을 추진하고 있는 것을 내 눈과 귀로 똑똑히 확인했거든.

대학교 복학? 85년에야 복학했는데 졸업 후 한 공사에 취업했어. 그런데 그 공사가 말이 아니야. 국민을 위한다는 공사가 오히려 국민들의 삶을 피폐하게 만드는 사업을 펼치고 있는 거야. 나는 2년 정도 거기서 버티다가 도저히 안 되겠다 싶어 사표를 던지고 나왔어. 지금은 형의 사업을 돕고 있어……'

그 이후로 나는 D의 소식을 듣지 못했다. D에게 후광이나 빛의 산란 현상이 보이지 않은 걸로 보아 나는 그가 아직 살아 있을 것이라고 짐작했다.

이윽고 회의실로 들어가는 A의 뒷모습이 보인다. 나도 A를 따라 안으로 들어갔다. 그 문을 지키고 있던 시민군은 나를 보고 고개를 갸우뚱거리기만 했다. 안에서는 누군가가 홀로 의자에 앉아 고개를 푹 숙이고 중얼거리고 있다.

"아버지의나라가오시며아버지의뜻이하늘에서와같이땅에서도이루어지소서……."

그는 주님의 기도를 읊조리고 있었다. 그가 자신의 등 뒤에 인기척을 느꼈는지 고개를 들어 돌아 봤다. 그는 A와 나를 보자 웃음을 띠었다. 나는 A뒤에 바짝 붙었다. 미소를 띤 이는 찬찬히 보니 광주 항쟁의 그 유명한 열사였다! 신체의 여기저기에서 산란된 빛이 가득하고 유난히 밝은 눈빛으로 인해 마치 빛에 둘러싸인 듯한 모습이었다. A는 내게 등을 보인 채 얼굴을 가렸던 스카프를 벗는다.

"형,우리 아버지가시골에서올라오셨어요."

상대방은 A를 물끄러미 바라보고 나서 말했다.

"어,그래?광주가봉쇄되었는데?"

"그러게요.어떻게올라오셨는지…….빨리가봐야할것같아요."

A는 말을 끝내자마자 주위를 살폈다. 고개를 뒤로 돌렸으면 나를 봤을 텐데 그러지 않았다. A가 나직이 말한다.

"형,어제YMCA강당에서총기훈련하는거보니까총을제대로다룰줄아는사람이열명남짓밖에안되던데요?군대다녀온예비군들……."

A가 말하기를 멈추고 잠시 멈칫거리는 사이에 열사가 한숨을 길게 내쉬었다. 그의 곱슬머리 아래 넓은 이마가 형광등 불빛을 받아 번질번질했다. 그가 입을 열었다.

"우린저망나니같이날뛰는계엄군과싸우고있는게아니야!계엄군의탱크와장갑차와총은별볼일없는우리의몸뚱어리를겨냥하고있지만우리의총구는불의를향하고있다.우리가이렇게라도저항하지않으면저들은자신들이옳았으

며계속해서우리를빨갱이나극렬분자나폭도라고호도할것이야.육신은죽여
도그이상아무것도못하는자들을우리가왜두려워하겠는가[7])?아까기자회견
장에서나는'우리는오늘패배해도미래의승리자가될것'이라고말은했지만지
금난,죽을지도모른다는두려움에떨고있다.나는지금가까스로이공포를저들
을향한분노로억누르고있다.지난며칠간저들이저지른잔악한폭력과살상행
위를생각해봐라.광주는그야말로초상집이되었다.여기도청안사람들을서둘
러집으로보내고있는저수습위친구들은,광주의일부어르신들과함께계엄군
과협상했지만실패했다.우리를겨누고있는총구는여전한데우리가먼저무장
을해제한다고저들이평화를거저줄리는없다.지난며칠동안의경험을통해우
리는그것을똑똑히알지않았는가?이것이지금우리가무기를내려놓지않는이
유다!"

유명한 열사가 여기까지 얘기했을 때 웬 사람이 문을 거칠게 열고 들
어온다. 그는 운동회 때 사용하는 모자를 삐딱하게 걸쳤다. A를 지나쳐
열사 앞에 서서 그가 외쳤다.

"윤형!언제지하실다이너마이트를폭발할것인가를지금결정해야합니다!"

침묵이 흘렀다. 이때 또 다른 사람이 후다닥 들어왔다. 머리에 흰 띠
를 두른 그는 왼손엔 무전기 오른손엔 권총을 들고 있었다. 그는 흥분
된 표정을 감추지 못하며 외쳤다.

"이제총기를회수하자고하거나철수하자고한놈들은내가쏘아죽이고말겠
어!우린죽어서라도여길지켜야돼!근데왜배치한시민군들이중간에서많이사
라져버렸다는거야,젠장!"

모자 쓴 이와 권총을 든 이들은 열사와 같은 후광이나 신체 부분에서
빛의 산란 현상 같은 게 보이지 않는다. 그들은 부상을 심하게 당하지
도, 죽지도 않았던 걸로 보인다. 두 사람 모두 5월이면 내가 티브이에

---

7)루카 복음, 12장 4절

서 본 듯한 얼굴들과 닮았다.

그들은 각각 자신의 발언에 관한 어떤 소득도 얻지 못하자 흥분한 모습을 감추지 못한 채 A와 열사를 남겨두고 다시 회의실 밖으로 뛰쳐나간다. A가 다시 나직하게 말한다.

"결국다른나라의인권을외교정책의우선으로둔다는미국대통령의의지는아침햇볕앞의이슬처럼사라지고마는걸까요······."

A가 계속 얘기하려고 하자 열사가 손을 들어 제지한다.

"여기남은우리는미국의이익에부합되지않는것은분명해보인다.전에네가미국항공모함이부산항쪽으로오고있다며기뻐했는데,그런미국의행동은,책상앞에서머리굴리길좋아하는대학생들과나같은먹물출신들의허황된희망과는아무런상관이없어보인다.여기남아있는사람들을보면알겠지만몇명을제외하면대부분은대학문턱도가보지않은사람들이다.이사람들이야말로진정한민중이다!그리고이들중상당수는지난이틀동안나만을바라보고있다.지금계엄군은우리에게굴종과항복을강요하고있는데말이다.생각해봐라,우리가살려달라고그놈들에게애원해야하나?아니면아무도우릴구해주지않는데언제까지'폭력이다,살인이다!'하고외치고있어야만하나?그렇다.이제우리는여기서물러설수없다.가봐라,아버지께서기다리고계실텐데.아버지께안부전해드려라."

그는 이렇게 말하고 A에게 손을 내밀었다. A는 그와 악수를 하고 나서 다시 스카프로 얼굴을 가렸다. A가 떠나는 것을 잠시 보고 있던 그 열사가 누군가에게 외쳤다.

"지금당장여기도청을지키고있는시민군들을모두모아주시오.긴히할말이있소!"

나는 그가 어떤 말을 하는지 궁금해서 거기에 남을까 말까 잠깐 망설였으나 허둥지둥 가고 있는 A의 뒷모습을 보고 그를 따르기로 했다.

　　　　　　　　　　　　　　　　무명C의 노래

A는 출입문 앞에서 역시 두 명의 여자와 마주쳤다. 그것을 바라보다가 나는 또 졸고 있던 시민군 발에 걸려 넘어질 뻔했다. A가 출입문 옆에 선 채 두 여자에게 묻는다.

"지금 이 시간에 왜?"

"선생님 갈아입을 속옷을 받아왔어요."

방직공장 작업복을 입은 여자가 말했다. A가 다시 묻는다.

"누구한테 그걸 받았어?"

"선생님 동생분이 아까 저희에게 전해달라고 했어요."

A는 고개를 끄덕이고 나서 다른 여학생 교복 입은 여자를 쳐다본다. 그녀는 손에 든 보따리를 들어 보이며 말했다.

"이건 선생님과 시민군들에게 줄 간식이에요."

"아까 저녁때 간식으로 나온 빵과 우유도 많이 남았는데……."

그들의 대화가 길어지자 나는 지하실 입구의 벽에 기대어 졸고 있는 시민군을 유심히 보았다. 나는 그의 셔츠 호주머니에 있는 반쯤 나와 있는 쪽지를 보고 슬그머니 그것을 꺼냈다. 그걸 아는지 모르는지 그는 잠깐 눈을 떴다가 다시 행복한 웃음을 지으며 끓아떨어졌다.

'얼굴도 이름도 모르는 부모님께. 처음으로 부모님께 편지를 씁니다. 6.25 전쟁이 끝날 때쯤 누군가가 방림동 다리 아래서 옹알이를 하고 있던 저를 발견했다고 합니다. 저는 고아원에 보내져 거기서 자랐습니다. 거기에는 나 같은 아이들로 넘쳐 났습니다. 저는 뺨에 수염이 나기 시작할 무렵 고아원을 나왔습니다. 그러고 그 뒤부터 지금까지 쓰레기통을 뒤져 넝마를 줍거나 간혹 좀도둑질 따위로 연명하며 비천하게 살았습니다. 굶주림과 목마름, 잦은 밤샘, 추위와 주위의 업신여김 등은, 언제나 변함없이 속옷과 머리에 자리잡은 채 제 몸과 하나가 되다시피 피한이(虱)들과 함께 저를 따라다녔습니다. 저는 사람들에게 구박받고 주위로부터 무시당하는 걸 너무나 당연하게 생각하며 살았습니다. 그러나 이번에 계엄군의 잔인한 행동을 보고 나서 나는 사람들에게 부탁했습니다. 제게도 총을 주세요라고. 그리고 마침내저는시민군이되었습니다.제가총을쥔순간부터세상이달라졌습니다.
광주시민들은나를영웅처럼환대해주었습니다.거리에서만나는사람마다내
게먹을것과마실것을전네주고저를형제자매처럼따뜻하게맞이해주었습니
다.지금까지살아오면서이렇게인간다운대접을받은적은없었습니다.그렇습
니다.이렇게좋은사람들과함께있을수있다면언제죽어도여한이없습니다.일
자무식인제가부른대로이편지를대신써준,대학생도제게는동생처럼여겨지
고다른동지들이나이곳을들르는시민들모두가내게진짜가족처럼느껴집니
다.저기서총을든채염불을하고있는대학생은제게염주를주었어요.나무아미
타불만되풀이하면제가극락세계갈수있다고하네요.이목에있는십자가목걸
이는내가총을들고트럭에타서시내를누비고있을때에제게죽지마라고한시민
이제게건네준거예요.얼굴도모르는부모님,저는오늘밤에죽을지도몰라요.참
우습네요.나는다시태어나자마자얼마안돼죽게되었으니까요.그러나후회는
없습니다.이게올바른길이란걸저는알고있습니다,부모님,저세상에서우리다
시만나면그땐헤어지지말고함께행복하게살아요.1980년5월26일밤.아들돌
석올림.'

　나는 그만 눈이 흐려졌다. 그의 유서 같은 편지를 건성으로 접어서 윗
도리 호주머니에 다시 집어넣었다. 그는 눈을 감은 채 잠깐 그쪽을 손
으로 긁었을 뿐이다. 그의 행복하게 잠든 표정이 내게는 오히려 한없는
슬픔을 자아냈다. 그러다가 나는 아차, 하며 출입구를 쳐다봤다. A는
이제 막 두 여자들과 헤어지고 있었다. 이상하다. A는 마치 나를 기다
리는 듯 일부러 출입문 쪽에서 시간을 지체하고 있었던 것 같다.

　A의 뒤를 따라 나도 도청에서 벗어나려는 시민들의 물결에 섞였다. 키
가 유난히 큰 A의 뒤통수가 사람들 머리 위에 보였다. 내가 인파에 부
대끼며 빠져 나오고 있는데 누군가가 반대편에서 흐름을 거슬러 들어오

려고 안간힘을 쓰고 있는 모습이 눈에 들어왔다. 그는 왜소한 덩치에 뉴스보이 모자를 쓴 어린 친구였는데 목덜미 쪽에 빛이 환했다. 그는 끄응, 하며 힘을 쓰고 있었지만 한 발자국도 움직이지 못하고 있었다. 그의 어깨에 매달려 있는 어떤 것이 그의 진행을 방해하고 있었다. 나는 안타까워 그 끈에 매달린 것을 찾아서 사람들 사이에서 빼내 그것을 높이 들었다. 나는 내가 그렇게 행동했다고 생각했다. 하지만 높이 쳐든 그 구두닦이 통 아래에는 그 앳된 친구의 손이 받치고 있었기 때문에 내가 그것을 들어 올렸는지에 대한 확신은 없다. 그 뉴스보이 모자는 그 구두 통을 높이 들고 사람들 사이를 비집고 들어갔다. 밖으로 나오니 A는 분수대 옆을 지나고 있었다. 나는 A를 쫓아가면서 아까 그 소년에 대한 기억을 더듬었다. 어디선가 분명히 본 얼굴이다. 아, 생각났다! 그 친구는 내가 아까 전야제가 있기 전, 오전에 망월 묘역에 갔을 때 어떤 무덤 앞에 놓인 영정 사진의 주인공이었다. 아까 그의 구두 통을 들어 준 게 후회가 된다. 그는 제 발로 죽으러 들어갔던 것이다!

A는 아까처럼 YWCA 건물이 있는 곳으로 들어갔다가 다시 나왔다. 누가 그를 불렀고 그는 간단히 대답하면서 두어 번 고개를 세차게 흔들었다. A는 녹두서점을 한참 바라보고 고개를 저었다. 나는 혹시나 하고 그 서점 앞으로 가서 몽당연필 모양의 이정표를 확인했다. 화살표는 도청을 정확하게 가리키고 있었다. A는 불탄 방송국 건물을 지나 도로를 건너 전남여고 길로 들어섰다. 잠시 후 푹 늘어진 히말라야시다 가지 그늘 아래서 중절모가 나왔다. 둘은 내가 이미 들었던 대화를 되풀이했다. 둘은 아까처럼 '민코프스키 속옷 50% 세일'이라고 써진 휘장을 내건 상점 건물로 들어갔고 나도 역시 그들을 따라 들어가려고 문을 밀었으나 역시 미동도 하지 않았다. 문을 두드렸으나 역시 안에서는 아무런 반응이 없다. 유리문 안을 들여다보니 고양이의 두 눈만 나를 노려보

고 있을 뿐이다.

 나는 A일행을 찾지 않고 B의 행방을 알기 위해 중앙로으 쪽으로 걸었다. 아니나 다를까. 멀리 부나비 같은 게 서로 엉켜서 움직이는 게 보인다. 서둘러 중앙로를 따라서 금남로 교차로를 향했다. 쇠기둥과 부딪히지 않으려고 조심스럽게 주위를 살폈다. 역시 도청을 가리키는 몽당연필 모양의 이정표가 있었다. B와 그의 단짝인 홀쭉이가 보인다. 도대체 그들은 어디서 어떻게 나타난 것일까? 숨을 가쁘게 내쉬고 있는 그들은 여전히 둘 다 큼지막한 검정색 서류 가방을 어깨에 메고 있다. 이윽고 도청 확성기에서 애절한 목소리가 밤하늘에 울려 퍼진다. 헬기의 프로펠러 소리와 육중한 기계음이 땅을 울린다. B와 홀쭉이는 아까의 대화를 되풀이하면서 불에 그슬린 세무서 쪽으로 걸어갔다. 거기서 그들은 아까처럼 걸음을 멈추고 전방을 잠시 뚫어져라 쳐다보았다. 그러고 나서 그들은 짧은 비명 같은 소리를 외치며 골목으로 접어들었다. 이번에는 나는 멈추지 않고 그들의 뒤를 바짝 뒤쫓았다. 그런데도 그들의 모습이 감쪽같이 사라졌다. 나는 이상한 낙서가 갈겨진 구두닦이 센터를 지나 오메가(ω) 주점 앞으로 갔다. 나는 아까의 기억을 되살리고 나서 누군가와 부딪히지 않기 위해 주점의 출입문에서 비켜나 담에 기대었다. 그들이 차례로 안에서 빠르게 튀어 나왔다가 들어갔다. 나는 그들이 문을 잠그기 전에, 잠그지 마, 하고 소리치며 그 주점으로 달려들었다. 그러나 벌써 문은 잠겨 있었다. 나는 출입문을 잡고 흔들었다. 역시 문은 꿈적도 하지 않는다. 문을 두드리고 소리쳤지만 안에서는 아무런 반응이 없다. 유리문에 눈을 대고 안을 들여다봤다.

 주점 홀이 보인다. 방으로 통하는 듯한 문 앞에 한 켤레의 신발이 놓여 있다. 최소한 거기에는 두 켤레 이상의 신발이 있어야 하지 않은가? 내가 눈을 들이댄 문이 갑자기 심하게 흔들린다. 머리가 어지러웠다. 과거와 현재의 세상이 번갈아 나타난다. 나는 출입문에 등을 기대어 앉았다. 안에서는 아무런 인기척이 없다. 겨우 정신을 차려 일어섰다.

이 시각 전남 도청 쪽 상황이 궁금했다. 그 쪽으로 방향을 잡고 걸어갔다. 어둠 속에서도 한눈에, 당시 '우다방'이라 불렸던 충장로 우체국 건물을 알아볼 수 있었다. 그런데 갑자기 두 그림자가 어디선가 툭 튀어 나와 오른 편에서 오고 있다. 둘 다 어깨에 빛이 번쩍인다. 총을 메고 있다. 한 사람은 예비군 모자를 썼고 그와 어깨를 나란히 하고 걷고 있는 이는 장발에 팔자걸음이다. 그 특이한 팔자걸음의 주인을 내가 모를 리 없다. 나는 둘에게 따라붙었다. C가 총을 메고 가다니! 나는 야아, 라고 소리쳤다. 그러나 둘은 각자 나름의 방식으로 약간 흠칫하는 제스처를 보였을 뿐이었다.

당시 C의 아버지는 전남의 한 시골에서 경찰로 재직하고 있었던 걸로 나는 알고 있다. C는 80년 5월에 아버지가 수시로 광주로 출동했기 때문에 시위에 참여할 때마다 현장에서 경찰 아버지를 만날까 가슴을 졸였다고 했다. 나중에 C는, 자신의 어머니가 아버지의 닦달에 못 이겨 아예 자기를 집밖으로 못 나가게 막아서는 바람에 살아남을 수 있다고 농담조로 얘기했다.

그랬던 C가 5월 26일 밤, 아니 27일 새벽에 총을 메고 도청 주변 거리를 걷고 있는 것이다. 그는, 내가 어떻게 상무대 영창에 갇히게 되었냐고 물을 때마다 자신은 단순한 '도청 배회자'로 분류되어 끌려갔다며 농담처럼 말하지 않았던가?

"형, 이렇게 헤매다간 길거리에서 계엄군의 총 맞고 죽게 생겼네."

C가 모자 쓴 이에게 이렇게 말하자 그가 대답했다.

"야, 우리가 도청에서 제 법군대지휘관 흉내를 냈던 그 친구 말을 듣고 YMCA를 지금까지 지켰다고 생각해봐. 우린 꼼짝없이 독안에 든 쥐 신세가 됐을 거야. 정규군을 상대로 도청이든 어디든 폐쇄된 건물을 지킨다는 건 자살행위야. 그 친구가 전쟁영화같은걸많이보아서인지제법지휘관흉내는냈지만그가내놓는작전과 전술은허술하기그지없어.난군대에서시에라쓰리(S3)-년전투경찰로근무해 서모를수도있겠지만-라고불리는작전과에근무해서어느정도는군의전투개 념을알아.내가생각하기엔도청에서가장가까이있는학동쪽공수부대에맞서 전남대병원건물을교두보삼아저지한다는계획도엉망이야."

C가 항의하듯이 대꾸한다.

"형,우린전쟁놀이를하고있는것도아니고실제전쟁터에서전투를하고있는 게아니잖아요?우린이기기위해서가아니라그냥그놈들의잔인무도한행위에 최소한의저항이라도보여주기위해총을든거잖아요?광주시전체가포위된마 당에각종무기와엄청난화력을지닌수천,수만의정규군을상대로어떻게이겨 요?"

C가 말을 끝내자 멀리서 격한 총소리가 들린다. 예비군 모자가 말한 다.

"그놈들이본격적으로진격을개시한거야.우리가건물들을엄폐물로삼아서 치고빠지는게릴라전을펼칠수만있다면시간도벌고광주의포위망을뚫을수있 을지몰라.하지만프랑스레지스탕스들이싸웠던도시처럼여기건물들의지하 에는다른출구가없어……."

갑자기 금남로 쪽 하늘이 환해졌다. 헬기의 프로펠러 소리가 귀청을 때린다. C가 볼멘소리로 말한다.

"아,젠장.진작말을해줬어야지.나를찾아온우리어머니를내게는아무말도않 고돌려보내다니!지금이시각어머니는얼마나가슴을졸이고있을까?"

C가 혼잣말처럼 내뱉은 말에 예비군 모자가 호응한다.

"좌우지간오늘밤에나는죽으면안돼.너와달리나는결혼해서처자식이있잖 아?요즘아침마다옹알이는큰놈보는재미로살고있는데…….이딴총으로어떻 게탱크나장갑차를앞세우고진군하는정예부대에대항할수있겠냐?그냥죽자 는소리지.시민군들이소대장인너를놓아두고도망친게현명한행동이지."

　　　　　　　　　　　　　무명C의 노래

그의 말에 C가 고개를 푹 숙이며 대꾸한다.

"나도공수부대새끼들하는짓거리때문에막상총을들었지만막상그놈들이앞에있으면그들을겨냥해서쏠자신이없어요.그친구들도제집에서는귀한자식이나형제일텐데……."

"그런생각이들면전쟁못하는거야.그러니까사람죽여본놈만이사람을표적으로삼아주저없이총을쏠수있는거라고.아마대다수공수부대하사관들도직접사람을죽여보지않았을것이야.하지만그들의상관중일부는월남전에참전해서살상을저지른놈들이꽤있을테지.젊은혈기로설치는놈들보다그짓을시키는윗대가리들이훨씬악질들이야."

멀리서 총소리가 들릴 때마다 그들은 총알을 피하듯이 공연히 허리를 숙이곤 했다. 나는 그 짓이 소용없는 짓이라고 그들에게 말하고 싶었다. 나는, 총알이 날아가는 속도가, 총구에서 발사될 때 나온 소리보다 빠르다는 것을 가르쳐 주고 싶었다. 나는 C의 이름을 부르면서 그의 어깨를 붙잡았다, 고 생각했는데 내 손은 C의 어깨에 닿기 전에 예비군 모자를 썼던 사람의 뒤통수를 건들고 말았다. 그러자 그는 번개처럼 돌아서서 내게 총을 겨누며 외쳤다.

"누구냐?"

"**아무것**도아닙니다!"

나는 양손을 번쩍 들며 말했다. 그는 나를 노려보며 외친다.

"시민군이든계엄군이든너의정체를밝혀라!"

내가 대답을 머뭇거리고 있는데 C가 말한다.

"아무도없잖아요,형."

"이상하다,분명히누군가가뒤에있었는데……."

두 사람은 손을 들고 있는 나를 뻔히 쳐다보고 난 후 돌아선다. 가슴을 쓸어내린 나는 이번에는 조금 간격을 두고 둘을 따라갔다. 이곳이 도대체 어디인 줄 분간이 되지 않는다. 내가 보기엔 그들은 우왕좌왕하고 있다. 그들이 병무청 쪽으로 방향을 잡자, 나는 뒤에서 소리를 질렀다. 내가 최근에 읽은 5·18 자료에는, 먼동이 트기 전에 이미 공수부대가 전남대 병원을 접수하고 나서 병무청을 통해 도청으로 진격하고 있다고 설명되어 있었기 때문이다. 아, 그쪽으로 가면 안 돼! 그러나 어찌 된 일인지 나는 그렇게 정확하게 말하지 못하고 가위눌린 꿈속에서 터져 나오는 신음 같은 것만 내뱉고 말았다. 천만다행으로 그들은 내 말이 마치 들린 것처럼 천변 쪽으로 방향을 틀었다. C의 볼멘소리가 다시 들린다.

"아, 형. 여태까지 왔던 길을 '절반이나 거꾸로' 왔어요!"

"다 왔어, 임마!"

그 말이 떨어짐과 동시에 둘은 어두운 골목길로 접어들었고 뒤이어 철문 닫히는 소리가 들렸다. 그들과 약간 거리를 두고 걸었던 나는 서둘러 쫓아갔지만 그들은 허깨비처럼 사라져 버렸다. 방금까지 부분적으로나마 그들과 공유했던 시간과 공간이 갑자기 없어져 버린 느낌이다. 골목은 어두웠다. 다만 어디선가 백열등의 여린 빛이 내려와 지붕 꼭대기나 담벽의 상부를 비추고 있었다. 나는 골목으로 나 있는 대문들 중 쇠로 된 문을 찾기 위해 골목의 좌우를 살펴보며 천천히 나아갔다. 한 철문이 보였다. 그 문에 손을 갖다 대니 차가운 금속의 감촉이 느껴졌다. 그 문을 주먹으로 두드리며 소리쳤다.

"여보세요, 안에 아무도 없어요?"

나는 C의 이름도 불러 봤으나 사위가 고요하다. 문득 고양이 울음소리 같은 게 들렸다. 소리를 자세히 들으려고 차가운 대문에 귀를 바짝 댔다. 아무런 소리가 들리지 않는다. 고개를 드니 대문 옆 기둥에 빛이 비추인다. 기둥에 부착된 문패에는 '양자…'라는 글씨가 보였지만 이름의 맨 마지막 글자는 어두워 보이지 않았다.

무명C의 노래

$$e^{\pi i} = -1$$

둘을 찾기를 포기하고 골목 밖으로 나오니 적십자 병원이 보인다. 2층 창문에 불빛이 켜져 있고 어렴풋이 옥상에 커다란 십자가도 보인다. 저 불빛이 골목까지 들어 온 기둥에 비친 것이리라. 그런데 아직도 저기에 시민들이 헌혈한 혈액이 있을까? 이렇게 생각하며 내가 그쪽으로 다가 가자 2층 창문의 불이 꺼졌다. 나를 계엄군으로 착각했던 것일까? 병원을 낀 도로를 벗어나니 시냇물소리가 들렸다. 광주천에서 나는 소리였다. 여명이 밝아온다. 병원에서 조금 지나니 어둠 속에 코펜하겐 호텔이 서 있고 거기서 흐릿한 불빛이 새어나온다. 그리로 가는 도중에 무언가 번뜩이고 있어서 그리로 가 봤다. 거기에도 쇠로 된 기둥에 몽당 연필 형태의 이정표가 달려 있다.

'전라남도 도청↑'
이곳은 녹두서점과 정반대편에 위치한 곳인가? 그러고 보니 1987년 이후, 나와 대학 친구들은 해마다 5월 무렵이면 오늘 밤에 본 세 개의 이정표를 벗어나지 않는 구역 안에서 어울렸던 것 같다.

갑자기 땅을 뒤흔드는 강력한 진동에 온몸이 떨린다. 장갑차와 탱크가 가까이 오고 있는 걸까? 벼락 소리가 들린다. 위를 쳐다보니 도청 인근 하늘에 불덩이들이 쏟아진다. 헬기에서 나온 것이다. 요란한 소리와 함께 조명탄이 터지고 서치라이트 빛줄기가 새벽하늘을 마구 가른다. 요란한 총소리들이 도시의 새벽을 찢어발긴다. 수백, 수천의 군홧발 소리가 들린다. 가까이서 그림자들이 빠르게 움직이고 있다. 계엄군이다! 두려움이 나를 덮쳤다. 나는 건너편에 있는 호텔로 달려갔으나 문이 잠겨 있었다.

호텔 코펜하겐 앞 화단에 커다란 정원석이 있었다. 황급히 그 바위 뒤로 몸을 숨겼다. 거기에 쪼그려 앉으니 발치에 뭔가 있다. 이 정원석을 안내하는 팻말인 것 같다. 거기에 로마자 알파벳이 쓰여 있다. 스펠링을 보니 영어가 아니라 독일어인 것 같다. '하나의 바위'라는 뜻이다. 여전히 군화 소리가 들리고 가까이서 그림자가 빠르게 지나가고 있는 듯하다. 어쩌면 환청이나 환시일지 모른다는 생각도 들었으나 그 계엄군들에게 들켜서는 안 된다고 내 몸은 알아서 움직이고 있다. 그들은 틀림없이 움직이는 것은 사살하라는 명령을 받았을 것이다. 나는 바위 뒤에 쪼그려 앉아 있다가 풀썩 주저앉고 무릎 사이로 고개를 처박았다. 이와 온몸이 부들부들 떨리기 시작한다. 갑자기 아까 술집에서 만난, 그 부상자 회원이 내 앞에 나타날 것만 같다.

'하하핫, 결국 선배님도 여기서 그 쥐새끼들처럼 숨어 있군요! 파랗게 겁에 질려서 말입니다, 하핫. 죽을 각오를 하고 달려드는 게 그렇게 쉬운 일이 아니지요, 하하하.'

그렇다, 어쩌면 나는 여기서 옴짝달싹하지 못한 채 있다가 그놈들에게 발각되어 죽거나 재수 없이 날아온 총알에 맞을 수도 있을지도 모른다. 사방이 캄캄하고 어둡다. 아무것도 보이지도 않는다. 아마 나는 죽게 될 것이다, 죽게 될 것이……. 피곤이 몰려온다. 졸음이 쏟아진다. 졸면 죽는데, 여기서 달아나야 하는데, 어디론가 피신해야 하는데……

　　　　　　　　　　　　　무명C의 노래

갑자기 요란한 소리와 함께 강력한 빛이 내 눈을 비춘다. 헤드라이트 같은 빛이다. 빛이 강렬해서 눈을 뜰 수가 없다. 장갑차 소리가 들린다. 나는 눈을 가린 채 비명을 질렀다.

"죽으려고 환장했냐? 저리 가!"

계엄군이 외쳤다! 나는 양손을 높이 들었다. 내 옆에는 시체를 담은 쓰레기 봉지가 어지러이 뒹굴고 있었다. 육중한 굉음을 내며 장갑차가 내 코앞에 정차하자 나는 손을 든 채 일어섰다. 노란 조끼를 입은 계엄 군 두 명이 내게 다가온다.

"아, 비키라니까!"

차는 내 옆에 바짝 붙어서 지나간다. 단두대처럼 생긴 육중한 덮개가 요란한 소리를 내며 시체를 담은 봉지들을 마구 삼키고 있었다.

"아저씨, 거기 있으면 다쳐요! 우린 책임 안 져요!"

다시 누가 나를 세게 밀쳤다. 노란 조끼를 입은 계엄군, 이 아니다! 그 들이 밤에도 눈에 잘 띄는 야광색의 노란 조끼를 입을 리가 만무하지. 그들은 청소부였다. 뒤이어 음식물 수거차까지 내게 다가왔다. 수거차 뒤에 매달린 채 청소부들은 나를 뚫어지라고 쳐다봤다.

$$e^{\pi i} + 1 = 0$$

나는 정신을 차리고 옛 전남도청 쪽으로 걸음을 서둘렀다. 큰 도로에 나오니 건물들 위에 햇살이 쏟아지고 있는 게 보였다. 5·18 민주 광장을 지나 도청 민원실 건물 앞으로 가 봤다. 어젯밤에 봤던 공수부대원 출신으로 여겨졌던 그 노숙자는 흔적도 없이 사라졌다. 밤에 세 번이나 들어갔던 민원실 건물 샛문은 자물쇠로 잠겨 있었다. 자물쇠를 무시한 채 손잡이를 돌리며 당겨봤다. 미동도 하지 않았다. 나는 아시아 문화전당 지하, 지하철역 출입구, 충장로 입구 등으로 가서 그 노숙자를 찾았지만 허사였다.

햇볕이 건물들의 창과 벽을 비추기 시작하자 어느 새 광장 주변은 차량과 사람들의 활기가 가득해졌다. 아시아문화전당 앞에는 미얀마인처럼 보이는 사람 여럿이 벌써 피켓과 리본 등을 정리하며 분주하게 움직이고 있다.

"야아, 자네, 왜 아직도 여기에 있는가?"

A였다. 60대의 A가 나를 보고 반가워한다. '말 대가리'라는 별명이 다시 생각난다. 마스크가 간신히 그의 코와 입만 가리고 있다. YMCA 앞 버스 정류장 주변에 서 있는 사람들 사이에서 훤칠하게 솟은 그의 키가 돋보였다. 그의 옆에는 어젯밤 창고형 술집에서 만났던 다리를 전 친구도 있었다.

"어째 꾀죄죄한 걸 보니 집에 잘 들어가지는 않은 것 같은데?"

"그렇게 됐어. 잠깐 얘기 좀 할 수 있을까?"

갇힌 젊음

나는 비시시 웃고 있는 A의 팔을 붙들며 말했다. 지난밤과 달리 그의 팔이 내 손에 잘 잡혔다.

"바쁘니까 용건만 얘기하소. 오늘 광천동에서 옛 야학 친구들을 만나기로 했거든."

나는 그 야학친구들이란 게 현재 살아 있는 사람인지, 무덤 속에 있는 사람들인지. 구분이 되지 않았다. 그런데 오늘은 망월동에서 정부 차원의 기념식이 있다고 하지 않았던가?

"자넨 기념식에 참석 안 하는가?"

내가 이렇게 말하자 그는 눈가에 주름을 만들며 마스크 안에서 웃음소리를 냈다.

"하하, 5·18을 두고 말한다면 나는 기념식에 참석할 만한 비중 있는 인사는 아니야."

"아니, 나야말로 아무것도 아니지만 그래도 자넨 518 문화 재단 이사까지 역임한 친구가 아닌가?"

"어쨌든 나는 '5·18 유공자'는 아니야. 그리고 우리 야학 팀은, 번거로운 5월 18일을 피해 망월동에서 따로 추모제를 가지기 때문에 오늘 정부가 주도하는 기념식에 꼭 가야 할 이유가 없어."

내 머릿속에는 어젯밤에 본 장면이 떠올랐다.

"그래도 자네는 5월 26일 밤에 도청에 있었던 것 같은데……. 물론 총은 안 들었던 것 같지만."

내 말에 A의 눈동자가 약간 커진 것처럼 보였다. 나는 더 나아가기로 했다.

"자네 혹시, 그날 밤, 그러니까 80년 5월 26일 밤에 도청에서 나올 때 자넬 기다리고 있던 사람이 아버지가 아니고 고모부라는 걸 이미 알고 있었나?"

"그게……."

A는 말을 멈추고 나를 뚫어져라 쳐다봤다. 나는 속으로 쾌재를 불렀다. 내가 어젯밤에 본 장면은 헛것이 아니었다!

"자넨 안 믿겠지만 나는 어젯밤에 세 번이나 도청에 들어갔네. 80년 5월 26일 밤인지 다음날 새벽인지 정확히 모르지만 거기서 자네를 봤어. 자넨 아버지께서 올라오셨다고 말하며 거기서 빠져 나오더구먼."

내가 이렇게 말하자 그는 야릇한 미소를 지어 보이며 내 어깨를 툭 쳤다.

"자네, 아직 술이 덜 깼는가, 아니면 요즘 보르헤스 소설에 심취해 있는가? 이것 봐, 친구. 그날 난 거기 없었네. 난 도청 앞에서 계엄군의 집단 학살이 있던 5월 21일 낮에 선배에게 붙들려 담양으로 갔어. 그날 이후 봉쇄된 광주로 진입하지 못했네."

"선배 집이 담양에 있었다고? 고모네 집이 아니고?"

"그래, 우리 고모네 집은 전남여고 부근에 있어. 어쨌든 담양에 숨어 있어서 나는 살아남은 거지. 하지만 나는, 평생 친구들과 선배가 산화한 옛 전남 도청엘 들락거린다네. 언제 어디서 무슨 일을 하든……. 그런데 자넨 그때 군에 있지 않았나?"

"나는 전방부대에서 있었지……."

"그렇다면 5·18 영령들에 대한 우리의 부채 의식이 자네에게 전이되기라도 했단 말인가? 그런 환시를 보다니!"

환시라니? 구체적인 근거를 들어서 얘기해야겠다.

"자네가 나중에 대학생 때 반제국주의, 반파쇼 운동과 미국 문화원 농성 투쟁에 가담한 것은, 자네가 한때나마 신뢰했던 미국에 대한 배신감 때문이지?"

"왜 갑자기 그 얘길……."

"80년 5월 26일 밤, 아니면 다음날 새벽이었는가 모르지만 자넨 도청에 있을 때까지만 하더라도 미국에 대해 지극히 낙관적인 환상을 가졌던 거야. 그런 생각을 그 당시 시민군 대변인을 맡았던 그에게 얘기했고……."

"하지만 그날은 아냐. 그 전에 그 형과 그걸 두고 토론한 적은 있었지. 당시 나뿐만 아니라 운동권에 있던 상당수 학생들도 미국의 역할에 대해……."

"그런데 이렇게 말해서 조금 뭣하지만, 자넨 아버지 핑계를 대고 도청에서 도망친 건 확실한 거야?"

"맞아. 정확히 자네가 말한 시간은 아니지만. 공수부대원의 만행이 광주 시민의 생명까지 위협하자 대부분의 대학생들은 부모나 친인척의 손에 이끌려 집으로 돌아갔어. 그러나 나는 처음 며칠간은 광주에 있으면서 유인물을 만들기도 했지만 집단 학살이 있고 난 후 겁이 유달리 많은, 한 야학 선배가 나를 담양에 있는 자기 집으로 데리고 갔지. 어쨌든 수십 년이 지난 지금에 와서 우리가 어떤 말을 하든지 간에 그 말은 그때 살아남기 위한 변명에 지나지 않아. 민주주의의 번제물로 바쳐진 그 형과 도청을 지키던 그분들과는 달리 난 비겁하게 살아남았네."

"난 어젯밤 세 번이나 자네가 도청에서 나오는 것을 분명히 목격했는데……."

"분명히 그 시각에 나는 거기에 없었네. 자네가 말하니 생각나는데, 난 82년에 국가보안법으로 감옥에 들어가 1년 2개월 동안 감방 생활을 하면서 수많은 생각을 했어. 특히 만약 내가 그날, 그러니까 80년 5월 26,7일 전남 도청에 있었더라면 어떻게 행동했을까 하는 가정을 수도 없이 되풀이했지. 자네가 어젯밤 경험했다던 내 모습은 내가 감방에서 가장 많이 반복했던 가정 중 하나야. 비겁하게도 나는 내가 만든 상상

무명C의 노래

의 세계에서조차 번번이 살아남는 내 모습을 그렸던 거야."

"가정해 봤던 것이라고? 실제 있었던 일이 아니고?"

"그래, 하지만 나를 포함한 상당수 생존자들은, 마치 다람쥐가 쳇바퀴를 돌리는 것처럼 평생 동안 80년 5월의 시간과 그때의 광주에 갇혀살고 있는 셈이야. 버스가 왔네, 나중에 만나서 얘기하세."

A는 버스를 타기 위해 몸을 돌렸다. 그들이 518번 버스 쪽으로 향한다. 다리를 저는 친구가 버스에 오르면서 A에게 묻는 소리가 내게 들린다.

"어째서 요즘에 80년 5월 27일 새벽에 도청에서 형을 봤다는 사람들이 간간이 나오는 거요? 혹시 그때 형이 나 몰래 다녀간 거 아니요?"

"그러게. 내가 몸이 여러 개라도 되는 걸까? 하하"

A 일행이 탄 518번 버스가 광장 로터리를 돌며 멀어져 간다. 아침 햇살이 옛 도청의 별관 건물에 부딪혀 눈부시게 부서진다. 나는 머리가 어지러웠다. 어젯밤에 내가 세 번이나 봤던 장면은 단순히 내 상상력이 빚어낸 것에 불과했다는 말인가. 그렇다고 치부하기엔 그 장면과 인물들이 너무나 구체적이고 생생하지 않았던가?

그들이 타고 간 버스를 바라보고 있는데 내 등 뒤에서 자동차 경적 소리가 크게 들렸다. 깜짝 놀라 뒤를 돌아다보았다. 승용차 한 대가 서 있다. 운전석에는 중절모에 검정 선글라스를 쓴 친구가 있고 그 옆 자리에는 어제 술자리에서 나와 친구들이 일어나서 인사를 했던, 백발의 선배가 앉아 있다. 차의 뒷문이 열리면서 B가 웃으며 나온다. 그러고보니 그들은 모두 검정색 양복 상의를 걸쳤다.

"행색을 보니 자넨 어젯밤에 집에 못 들어간 것 같은데……."

"자넨 믿기 어렵겠지만 나는 어젯밤에 자네들 과거 행적을 쫓느라고 꼬박 날을 샜네."

조수석 차창이 열렸다. 백발이 나를 안 체하자 나도 엊저녁처럼 그에게 머리를 꾸벅했다.

"무슨 과거 행적?"

B가 생뚱한 표정을 지으며 물었다.

"80년 5월 27일 새벽에 있던 일."

"하핫, 당시에 군대에 가 있던 자네가 어떻게 그날 일을 알 수가 있단 말인가? 어쨌든 자넨 남의 아픈 상처를 긁어내는 데 소질이 있는 것 같군. 지금 우린 망월동 기념식에 가려고 나섰네."

B는 내게 손을 흔들고 차에 다시 타기 위해 차 문 손잡이를 잡으려고 할 때 그의 팔을 붙들었다.

"자네들은 왜 YWCA 건물의 뒷담으로 도망쳐 버렸는가? 건물 안에는 여자들도 남아 있던 것 같던데."

B가 대답을 하지 못하는 사이 운전석에 앉았던 친구가 차문을 열고 나왔다. 그가 선글라스를 벗으며 내게 손을 내밀었다. 나는, 그가 지금은 얼굴에 살이 많이 붙었고 풍채가 그럴 듯 했지만 B와 단짝이었던 홀쭉이라는 것을 알아봤다. 그는 쓴 웃음을 지으며 내 이름을 확인했다. 그가 내민 손을 잡았다.

홀쭉이는 대학 친구들과는 달리 호남을 대변하는 정당과 거리를 두지 않았다. 그래선지 그는 광주 인근에 있는 정부나 지방자치단체 산하 기관의 요직을 두루 걸치고 있다. 대개 그런 친구들은 늘 바쁘다는 핑계를 대며 어제와 같은 군중집회 후 술자리에서도 좀처럼 모습을 드러내지 않는다. 그가 B 옆에 섰다. 늙은 '뚱보와 홀쭉이'가 40여 년 만에 부활했다.

"그래 맞아. 총소리가 가까워지자 우리는 혼비백산해서 도망치기에 바

무명C의 노래

빴어. 그것뿐이야. 그 이상도 그 이하도 아냐. 자네 말이 맞아. 그러니 이제 우리를 그냥 놔두게……."

B가 옆의 홀쭉이를 주먹 쥔 손의 엄지로 가리킨 채 내게 말한다. 늘 우월감을 과시하듯이 무관심한 표정으로 나를 지나쳤던 B는 지금은 어디론가 사라져 버렸다. 그는 내게 약간 비굴하게 보이는 듯한 표정을 지어 보이며 손을 흔들었다. B와 홀쭉이가 차문을 동시에 열려고 손잡이를 잡았을 때였다.

"비겁하게 살아남은 자들은 평생 열사들을 기려야 하지! 그게 내가 5·18 영령들의 정신을 기리는 책 쓰기를 멈출 수 없는 이유이기도 하고."

백발이 혼잣말처럼 중얼거렸다. 그는 열려진 차 유리창을 통해 우리 얘기를 들었던 것 같다.

그들이 탄 승용차가 출발한다. 나는 꼭 알고 싶은 내용은 정작 B에게 묻지 못했다. 그날 도망가면서 자료를 옮겨 놓고 다시 온다고 말했는지 여부에 대해.

"어이!"

누가 나를 부르는 것 같다. 도로 건너편 전일빌딩 앞에서 C가 나를 향해 손을 흔든다. 놀라운 일이다! 어제 만났던 친구들을 오늘 아침에 모두 다시 만난 것이다. C 옆에는 헌팅캡을 쓴 이가 서 있다. 나는 C를 향해 손을 내저으며 크게 소리쳤다. 도로에 자동차 소음이 가득했기 때문이다.

"잠깐만! 거기 있어 봐! 내가 갈게!"

나는 C에게 연신 손을 내저으며 소리 질렀다. 나는 무릎에 퇴행성관절

염의 증상이 있음에도 불구하고 무리를 해 가면서 계단을 오르내렸다. C는 그 자리에 서 있었다. 나는 다짜고짜 C를 향해 비난조로 소리쳤다.

"자넨 여태 내게 거짓말만 해 왔어. 80년 5월에 자넨 단순한 도청 배회자가 아니었어. 어젯밤에 내가 보니 자넨 분명히 총을 들고 있었어!"

"어젯밤에 무엇을 봤는지는 모르지만 그 시각이 80년 5월은 아니란 건 확실하잖아? 근데 그걸 어떻게 알아냈나?"

"뭘?"

"내가 총을 들었다는 걸."

"난 어제 80년 5월 26일 밤 아니면 27일 새벽에 세 번이나 전남도청에 들어갔어."

"자네가 취중에 뭔가 본 것은 확실하군."

"자넨 여태 내게 총을 들었단 말은 하지 않았잖아?"

"그게 뭐가 중요한가, 한때 총을 든 게?"

나는 더 확실한 증거를 보여주기로 했다.

"그때 누군가와 같이 적십자 병원 쪽으로 가던데……."

내가 손을 들어 그쪽 방향을 가리키자 C와 그 옆에 서 있던 헌팅캡이 동시에 서로 얼굴을 마주 봤다.

"몽유병자의 경험치곤 꽤 정확하군, 하하."

"자넨 내 경험을 믿지 못하고 있군. 그때 자네가 형이라고 부른 사람은 향토 예비군 모자를 썼는데 그는 내게 총을 겨누기도 했지."

"그래, 맞아. 그때 분명히 누군가 우릴 따라온 것 같았는데, 그게 바로 자네였군!"

헌팅캡이 크게 웃으며 소리쳤다. 그러고 보니 그가 C와 함께 배회했던 그 젊은 시민군과 꽤 닮은 것 같다. 어제 술자리에서 봤던 것처럼 그의 눈동자는 여전히 에메랄드빛이었다.

무명C의 노래

"형님, 이 친구는 80년 5월에 전방 부대에서 군인으로 있었는데요? 물리적으로 광주에 있을 수가 없어요. 더구나 어젯밤이라고 하잖아요!"

C가 헌팅캡에게 따지듯이 말했다.

"그래도 이 친구가 뭘 본 것 같기는 한데……."

헌팅캡은 잠시 생각하는 표정을 짓더니 C와 나를 번갈아보면서 말을 이었다.

"그런데 이 친구가 어젯밤 경험한 것과 우리가 그때 몸소 체험한 내용 중 어느 것이 진실이지?"

"아, 그거야 당연히……."

헌팅캡은 C의 말을 끊었다.

"요즘 진상 규명 위원들이 80년에 광주에 진입한 계엄군들을 만나 증언을 듣고 있는데 자네도 거기에 한두 차례 참여했다고 했지? 그리고 자넨, 계엄군의 증언에 상응하는 당시 상황을 파악하기 위해 지금 공법 단체를 준비하고 있는, 이른 바 5월 단체의 간부급들을 면담했다고 했지? 그럼, 내가 물어봄세. 어때, 자넨 그들의 증언 중 계엄군의 그것과 딱 부합하는 게 있던가? 만약 쌍방의 증언이 일치하지 않는다면 자넨 누구의 기억이 덜 왜곡되었다고 판단했는가?"

"그게 좀……."

헌팅캡은, 대답을 얼버무리는 C에게서 눈을 거두고 나를 찬찬히 쳐다보며 입을 열었다.

"우리가 그랬더라면 더 좋았다고 여겼을 세계, 어쩌면 왜곡된 기억이 가미되었을지도 모른 세계, 5월 광주의 상흔을 가진 사람들이 만든 세계, 의식과 무의식의 경계도 없고 시공간의 한계도 없는 바로 그곳에 자네는 들어간 것 같군. 우리들이 시공을 초월하여 망월동 묘역에 가서 생사의 벽에 상관하지 않고 5월 영령들과 아무렇지도 않게 어울리고 있는 것처럼 어젯밤 자네도 전남도청과 그 주변에서 그때 그 사람들을 만났군."

 그의 말을 들으니 그의 에메랄드 색깔의 눈빛이, 나이든 노인들에게 흔히 나타나는 죽음의 징후가 아니라 지혜와 깨달음의 표징처럼 느껴졌다. 그러나 나는 어젯밤 내가 체험한 사건에 대한 저 헌팅캡의 의견에 전적으로는 동의하지 않는다. 나는 분명히 그 현장에 있었다! 그들은 나를 보지는 못했지만 내 행위에 반응을 보였지 않았던가? 어떻게 그리 됐는지 설명할 수는 없지만 내가 어젯밤에 들어간 그 시공간은, 나나 다른 누구의 기억 속 세계가 아니라 뚜렷한 실존 세계였다. 시간의 문제가 걸림돌로 남아있긴 하지만.

"형님은 이 친구보다 한술 떠 뜨네요."
 C가 이렇게 말하며 어이없다는 표정을 짓자 헌팅캡은 씨익 웃으면서 말을 이었다.
 "실은 나도 자네보다 먼저 진상규명위원회의 요청으로 당시 광주에 왔던 공수부대원들을 두세 번 만난 적 있네. 그때 같은 시간에 같은 장소에서 함께 움직였던 두 명의 공수부대원마저도 각자 다른 기억을 바탕으로 사실 여부를 놓고 논쟁을 벌이는 것을 봤네. 80년 5월 26일 밤이나 27일 새벽 광주에서는 계엄군이든 시민들이든 모두 극도의 불안감들을 지니고 있었어. 그러니 같은 사건 현장을 공유했다고 할지라도 거기 있던 당사자들의 개별적인 시각과 감정은 각각 달랐던 거야. 그러고 나서 오랜 세월이 흘렀어. 이제 당사자들은 본인에게 유리한 쪽으로만 그 현장을 기억하게 되었지."
 "그럼 형님은 내가 직접 겪은 경험과 이 친구의 환시 중 어느 것이 진실이라고 생각하세요?"

"글쎄, 꼭 ……. 그런데 상상력이든 뭐든 저 친구가 체험한 사건이 우리들의 불안전한 기억보다 당시 우리들의 허둥대던 모습과 불안정한 심리를 논리적으로 잘 설명하고 있다는 생각이 드네. 왜, 거 수학에서도 그런 수 있잖아? 인간의 상상력으로 만든 수."

"상상의 수라면, 허수?"

C가 이렇게 되물었다.

"그래, 언젠가 그 허수는 현대 수학뿐 아니라 공학이나 양자 물리학에서도 꼭 필요하다고 내 큰아들 놈이 말하더군."

"그 공대 교수하는 큰놈?"

"맞아, 그날 새벽에 그놈 얼굴이 떠오르더군. 그래서 도망쳤지."

헌팅캡이 웃었다.

"좌우지간 어젯밤에 세 번이나 도청을 들락거리느라고 고생했네. 그런데 따지고 보면 우리도 평생 거기서 죽치고 사는 것과 진배없네. 그러니 어때, 오늘 우리와 함께 상무대 영창 등 5·18 관련 사적지를 돌아볼 생각 없는가? 함께 가서, 어젯밤 자네의 경험에 대해 시간이 멈추어버린 우리 친구들과 얘기해 보지 않을런가?"

C가 내 어깨에 손을 얹으며 제안한다.

그러고 보니 두 사람 주위에 이미 꽤 많은 사람이 모였다. 작은 깃발과 플래카드를 말아서 든 사람도 두셋 보였다. 그들을 바라보고 궁금해하는 내게 C가 설명한다.

"여기 모이고 있는 사람들은 우리 둘을 제외하고는 광주 아닌 서울 등다른 지역에서 온 사람들이야. 80년 5월 18일을 전후해서 각자가 머문 곳에서 신군부나 계엄군으로부터 고통을 겪은, 색다른 5·18 유공자들이야. 우린 오늘 대통령이 참석하는 정부 주도의 망월동 기념식에 참석하지 않고, 광주의 5·18사적지를 돌고 나서 오후에나 묘역에 갈 예정이야. 함께 가세."

내가 망설이자 C가 내게 웃으며 말한다.

"자네가 어제 경험한 일은 일부만 사실과 부합해. 난 5월 27일 새벽에 도청에서 계엄군에게 체포되어 끌려갔거든!"

"뭐라고? 그럼 도망가서 숨어 들어갔던 집에서 다시 나왔단 말이야?"

"뭐, 자네 얘기대로라면 그런 셈이지. 어때? 자네가 나와 함께 가면 내게서 더 많은 진실을 들을 수 있을 거야, 하하!"

이럴 수가! C는 40년 넘게 그 사실을 감췄단 말인가? 그가 내게 수없이 되풀이했던 말, '도청 주변을 배회하다가 상무대에 끌려가서 죽도록 맞았다.'는 말은, 도망친 자신을 자조적으로 표현했던 것이었을까?

멍하니 있던 내게 C가 자기 일행과의 동행을 거듭 제안했다. 어쩌면 C와 함께 이 버스에 내가 타게 되면, 나는 그로부터 어젯밤에 본 그 장면에 대한 내막을 좀 더 잘 알 수 있을지도 모른다.

그러나 나는 그 차에 동승하지 않기로 작정했다. 그로부터 무엇을 들을 수 있는지 모르지만 그게 당시에 있었던 비극을 모두 설명해 주지 않을 것이다. 그리고 아마 그것들은 밤새 겪은 내 경험과도 상당한 차이가 있을 수도 있다. 어쨌든 오늘은 아니라는 생각이 든다. 내일이나 머지않은 5월의 어느 날에 이 근처 어디에선가 친구들을 다시 만날 수 있을 것이다. 나는 알고 있다. 5월이 되면 이곳에는, 나와 내 대학교 친구들이 오는 것을 멈추게 할 수 없는 뭔가가 있다는 것을.

그들이 탄 전세버스가 떠난다. 그 버스의 뒷모습을 바라보고 있는데 이상한 예감이 들어 뒤를 돌아다봤다. 5·18 민주 광장 앞 미얀마 희생자들이 전시된 사진들 앞에서 누가 나를 보고 있다. 그는 중절모에 선

       무명C의 노래

글라스를 쓰고 마스크까지 걸쳤다. 마스크 양 옆으로 하얀 구레나룻이 삐어져 나왔다. 키는 나보다 약간 더 컸고 넓은 양 어깨가 인상적이었다. 요즘 유행에 맞지 않은 폭이 넓은 바지를 헐렁하게 입었고 운동화를 신고 있었다. 나는 급히 그쪽으로 가려고 횡단보도 앞에서 차 몇 대가 지나가기를 조급하게 기다렸다. 그는 자신에게 오는 나를 의식했는지 황급히 몸을 돌려 도청 별관 쪽으로 걸음을 옮겼다. 나는 신호등까지 무시하며 그쪽을 향해 달렸다. 하지만 그는 이미 인파에 섞여 버리더니 보이질 않았다. 그는 분명히 D였다! 어쩌면 그는, 광장에 전시되어 있는, 군부에 의해 희생된 미얀마 국민들의 처참한 사진들을 보며, 10년 전에 내게 얘기했던 것처럼 자신이 나서서 수습하지 않았더라면 훨씬 많은 희생자가 나왔을 것이라는 자신의 생각을 확인하고 싶었을지도 모른다.

결국 나만 여기에 남았다. 40여 년 전, 수십만 명의 시민들의 함성이 며칠 동안 메아리쳤던 곳, 학살자로 돌변한 계엄군의 총탄에 수백 명이 잔인하게 쓰러졌던 곳, 화염이 자욱한 가운데 비탄의 절규가 메아리치고 피가 낭자했던 곳, 흔들리지 않는 의로움을 무기로 삼아 장렬히 지키고자 했던 곳, 그곳에 나는 서 있다. 그리고 그때 죽지 않고 살아남은 자, 산화한 자들의 행적을 추모하는 자, 각자의 영역에서 그들에게 빚이 있다고 생각하는 자들은 오늘도 떠난다. 한때 새로운 세상을 꿈꿨던 곳, 항쟁을 기획하고 기록해서 세상에 알렸던 곳, 잔혹한 고문을 당했던 곳, 죽어가고 있거나 죽었던 곳, 젊은 날의 동지들이 묻힌 곳으로. 그들은 추모 행위를 통해 그때를 기억하고, 그곳에 감추었던 부끄러운 기억을 끄집어내고, 흐릿해져가는 각자의 기억들을 모아서 뚜렷한 집단의 기억으로 만들어 가는 것이다.

갇힌 젊음

피해자들의 증언은 40년 넘게 쌓이고 쌓였는데 가해자들의 증언은 아직도 가뭄에 콩 나오는 수준에 머물고 있다. 가해자 우두머리 일당과 그 후손은 그때 축적된 부를 대물림하며 번성하는데 피해자의 가족과 지인들은 아픈 기억을 반추(反芻)하며 고통과 죽음의 공간에 머물고 있다.

단지 5·18뿐이었던가? 왜 우리는 한국전쟁을 비롯한 우리가 겪었던 수많은 현대사의 굵직한 비극의 참모습을 밝혀내지 못하는 것일까? 우리는 언제까지 노숙자처럼 탐욕스러운 권력의 찌꺼기로 연명하며 온갖 이념의 옷들을 잔뜩 껴입은 채, 진실 규명이라는 단어를 동어반복처럼 우물거리고만 있어야 할까?

수난의 근·현대사에서 숱한 피를 흘려 가면서 우리가 시시포스처럼 끝없이 오르내렸던 정의의 산들, 그 봉우리들을 휩싸고 있으면서 걷히지 않는 이 짙은 안개는 도대체 무엇이란 말인가?

무명C의 노래

※ 소설에 사용된 수식, 물리학의 개념

단, 여기에서 소개한 수학 용어나 물리학의 개념을 모르거나 그것들을
무시해도 이 소설의 주제를 파악하는 데 큰 어려움은 없다.

1. e

$$e = \lim_{n \to \infty} \left(1 + \frac{1}{n} \right)^n$$

자연상수라고 불리기도 한다. 17세기 스위스 수학자 야코프 베르누이
는 복리 이자의 계산이 다음과 같은 극한을 취할 수 있다는 것을 발견
하였다.

자연 현상이나 경제 현상 심지어 일부 사회 현상에서도 이 수의 특징
이 나타난다. 초반에는 빠르게 성장하다가 점점 느려져 특정 값(약
2.178…)에 수렴한다.

2. 허수

제곱하면 -1이 되는 특별한 수로서 이전의 수 체계에서는 볼 수 없는
상상의 수라고 하여 i(imaginary number)로 표기한다. 허수는 실수와
함께 복소수를 이루며, 실수부와 허수부가 있는 a + bi 형태로 나타낼
수 있다.

3. 복소평면 (지도 참조)

 복소수를 기하학적으로 표현하기 위해 개발된 좌표평면으로 서로 직교하는 실수축과 허수축으로 이루어져 있다. 이 소설에서는 도청 분수대 앞 시계탑을 원점으로 반경 약 518미터에 이르는 지역을 단위원으로 설정했다. 중앙로와 만나는 금남로는 허수축인 Y축이 되고 현재 민들레 소극장에서 워싱턴 호텔 부근에 이르는 곳은 실수축이 된다. 소설에서 허수축은 4차원의 시공간이자 동시에 양자물리학적 현상이 적용된 세계를 나타낸다.

4. $\pi/6$
 복소평면에서 $\pi/6$에 해당한다. 복소수 편각은 30˚이고 사인(sin)값은 1/2이다.

5. $2\pi/3$
 복소평면에서 $2\pi/3$에 해당하는 복소수 편각은 120˚로서 오메가(ω) 편각이라고 부르기도 한다. 세 번 곱하면 원점(360˚)으로 돌아온다. $\pi/6$에서 $\pi/2$(90˚)만큼 회전한 편각이다.

6. $5\pi/6$
 복소평면에서 $5\pi/6$는 150˚이며 사인(sin) 값은 −1/2이다. 허수축인 y축을 중심으로 $\pi/6$와 대칭을 이룬 편각이다.

7. 오일러 공식

$$e^{\pi i} + 1 = 0$$

'$e^{ix} = \cos x + i\sin x$'에서 x에 π를 대입하면 이 식이 나온다. 복소수 체계에서의 삼각함수와 지수함수의 관계를 잘 드러낸 항등식. π값의 변화에 따라 실수축인 x축과의 거리가 달라진다.

반지름의 크기가 1(여기서는 전남도청 앞 분수대에서 약 518미터)인 원을 단위원이라고 하는데, 복소수 편각이 π인 곳은 -1이다. 여기서 1 만큼 이동하면 원점인 0으로 되돌아오게 된다.

8. 켤레 복소수

복소수의 허수부분의 부호를 반대로 바꾼 것이다. 복소평면에서 원래 복소수를 실수축에 대하여 대칭 이동한 것과 같다.

9. 웜홀(wormhole)

사과 표면에 있는 벌레가 사과의 정 반대편으로 가려면 표면을 따라가기보다 중심을 지나가는 게 빠르다. 이때 생긴 벌레 구멍(웜홀)은 다른 차원으로 사과의 반대편 표면을 잇는 최단 경로가 된다. 과학자들은 시공간의 다른 지점을 연결하는 곳을 웜홀로 명명했다.

10. 관찰자 효과

양자역학에서 원자와 같은 양자가 파동에너지의 상태로 확률적으로 존재하다가 관찰되는 순간에 입자의 상태가 결정된다는 이론이다. 소설에서는, 화자가 관찰하지 않으면 그가 추적했던 대상들이 사라지고 마는 대상과 사건 등을 서술해 관찰자 효과 이론을 적용했다.

11. 기타

그 외에도 이 소설에서는 상대성 이론과 4차원 시공간과 블랙홀 등의 개념이 우회적으로 표현되어 있고, 유명한 물리학자들 이름 등이 숨겨져 있다.

무명C의 노래

소설 속 주인공들의 행보

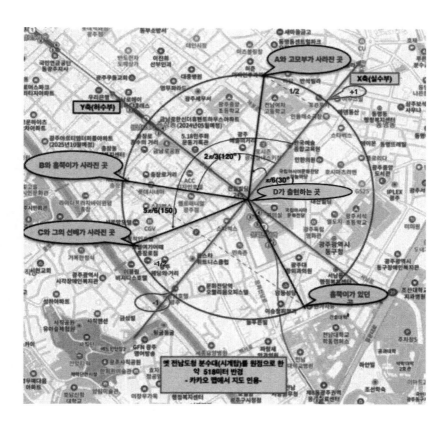

작가의 말

 2024년 2월 1일 현재 3년 전 군부 쿠데타가 일어난 미얀마에서는 4,453명이 사망하고 262만 5천명 난민이 되어 떠돌고 있다. 비단 미얀마뿐만 아니라 지금도 세계 곳곳에서는 잊을 만하면 80년 5월의 광주와 같은 비극이 되풀이되고 있다.

 5·18 광주민중항쟁을 다루는 각종 예술 활동이 한 세대가 넘는 세월 동안 '동어 반복' 수준에만 머물러 있다는 느낌을 가끔 받는다. 그런 관행을 벗어나기 위한 시도로서 다소 서투르지만 옴니버스 구성의 <5·18 광주민중항쟁 4X주년 4부작>을 집필하여 세상에 내놓는다.